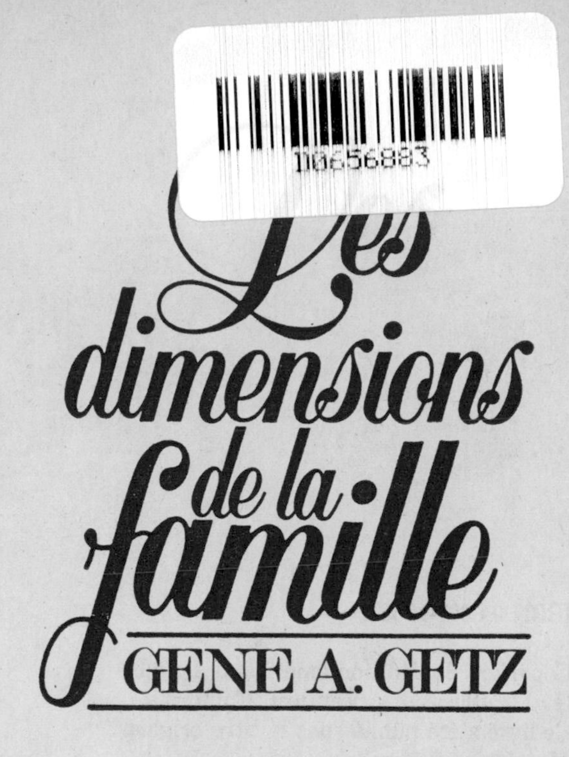
10656883
Les
dimensions
de la
famille
GENE A. GETZ

EDITIONS
Vida

ISBN 0-8297-1053-1

Ce livre a été publié sous le titre original :
Measure of a family.

Traduit de l'anglais par Annie Audfray.

Réimpression en 1988

Toutes les citations bibliques proviennent de la Bible
Louis Segond, édition de la Colombe.

Couverture par : Hector Lozano

Bien affectueusement à mon épouse Elaine et à nos trois enfants, Renee, Robyn et Kenton, je dédie ce livre.

Sans eux, cet ouvrage n'aurait jamais vu le jour!

J'aimerais exprimer toute ma reconnaissance à mes frères et sœurs en Christ, membres de mon assemblée et de ses annexes à Dallas, au Texas, frères et sœurs que je considère comme faisant partie de ma «grande famille». J'ai particulièrement apprécié leur confirmation des concepts qui se trouvent dans ce livre.

Mes remerciements vont aussi au Dr. Harold Hoehner, directeur d'études doctrinales au séminaire évangélique de Dallas, et professeur des cours d'exégèse et de Nouveau Testament. C'est le docteur Hoehner qui le premier, a pris connaissance du manuscrit de ce livre et a fait des suggestions utiles dont je lui suis reconnaissant.

Prologue

La Bible n'est pas un livre comme les autres. Ce qui le différencie, c'est qu'il n'abonde pas en descriptions de formes et de modèles, mais qu'il s'étend plutôt sur les fonctions et les principes. La plupart des autres livres décrivent ces deux aspects. Cela se comprend bien, puisque partout où se trouvent des hommes, se trouvent aussi des fonctions, et que là où se trouvent des fonctions, se trouvent également des formes. En d'autres mots, nous ne pouvons avoir de fonctions sans formes, ni d'organisme sans organisation. Mais la Bible dans son ensemble ne donne pas une description détaillée des diverses formes que prennent les fonctions bibliques, surtout dans le Nouveau Testament. En fait, les auteurs bibliques se sont le plus souvent référés aux fonctions sans en mentionner les formes.

Cela se vérifie surtout pour l'Eglise. Les descriptions des fonctions d'une assemblée locale ne manquent pas. A l'époque du Nouveau Testament, les membres de l'Eglise avaient des fonctions variées: l'enseignement, la prédication, le témoignage, la louange, le chant, l'aide et l'exhortation. Mais il est bien rare que nous soyons informés des diverses formes que devaient revêtir ces fonctions. Nous ne sommes pas sans savoir qu'il existait des formes, puisque nous ne pouvons avoir de fonctions sans formes. Mais comme il est possible de parler des fonctions sans en décrire les formes, les auteurs bibliques ont fidèlement observé ce principe.

C'est donc là l'un des aspects caractéristiques des Ecritures, les formes et les structures étant à la base d'ordre culturel, alors que de nombreuses fonctions bibliques se situent au-delà de la culture. C'est l'une des raisons pour laquelle le christianisme s'est bien développé dans presque tous les pays du monde. La plupart des autres religions importantes ont tellement mêlé formes et fonctions qu'il est pratiquement impossible à leurs croyances de survivre en dehors de leur culture.

Le christianisme est différent. Les rares formes qui sont mentionnées dans le Nouveau Testament ne sont que des moyens destinés à des fins d'ordre divin, alors que la plupart des fonctions bibliques revêtent un caractère absolu et essentiel. Si Dieu avait, de manière spécifique, décrit toutes les formes que devaient prendre les fonctions bibliques, on essayerait encore au vingtième siècle de copier les formes prescrites à l'époque du Nouveau Testament. Il en est d'ailleurs qui s'efforcent de rester fidèles aux rares formes que l'on trouve dans le Nouveau Testament, tandis que d'autres s'évertuent à revêtir les textes bibliques de formes qui ne s'y trouvent pas le moins du monde.

La volonté de Dieu, en fait, c'est que chaque Eglise, quel que soit l'endroit où elle est située et le moment où elle ait vécu, emprunte les *fonctions* du Nouveau Ttiens doivent se sentir libres de créer des formes et des modèles dans n'importe quelle époque, culture ou subculture. Cette liberté qui nous vient de Dieu est l'une des raisons pour laquelle le christianisme survit depuis près de 2000 ans.

Ceci est aussi vrai pour la famille. Dieu décrit des fonctions bibliques concernant divers membres de la famille, mais nous laisse généralement libres d'adopter les formes et structures nécessaires que doit revêtir la famille au vingtième siècle (quelle que soit sa culture) pour être fidèle à l'esprit du Nouveau Testament.

Voilà donc en quelques mots le propos de ce livre. Les onze premiers chapitres décrivent les objectifs et fonctions bibliques de base de divers membres de famille vivant dans des situations variées. Ce livre donne aussi des principes spirituels destinés à aider la famille à atteindre ces objectifs et à assumer ces fonctions, quel que soit le contexte culturel dans lequel elle se trouve. Le dernier chapitre contient des suggestions pour passer de la fonction à la forme. Vous trouverez aussi à la fin de chaque chapitre de petits exercices d'ordre pratique qui vous aideront à appliquer ces principes bibliques, où que vous viviez et quels que soient les problèmes particuliers que vous ayez.

Au cours de votre lecture, ayez toujours en

mémoire cette importante vérité: les objectifs, les fonctions et les principes bibliques, et non les formes et les modèles, sont l'étalon divin de Dieu qui donne les dimensions d'une famille. C'est seulement lorsque nous nous plaçons à la lumière d'un critère biblique et non culturel, que nous avons la faculté de construire un foyer biblique.

Gene A. Getz

1
LE FOYER,
une Eglise en miniature

Bien que parfois la Bible soit très précise sur certains points concernant le foyer, elle ne dit que peu de choses comparativement à ce qu'elle enseigne sur l'Eglise, la grande famille de Dieu. En fait, ce qu'elle dit sur le foyer se résume en peu de mots! Quand Paul écrivait aux chrétiens de Colosses, nous voyons qu'en quatre courts versets, il leur laisse quatre ordres très brefs:

3:18 — «Femmes, soyez soumises chacune à votre mari, comme il convient dans le Seigneur.»

3:19 — «Maris, aimez chacun votre femme, et ne vous aigrissez pas contre elles.»

3:20 — «Enfants, obéissez en tout à vos parents, car cela est agréable dans le Seigneur.»

3:21 — «Pères, n'irritez pas vos enfants, de peur qu'ils ne se découragent.»

Dans cette épître, quatre versets seulement sur 95 sont expressément consacrés au foyer.

Dans l'épître aux Ephésiens, bien que Paul traite du même sujet, sur les 155 versets que comprend la lettre, 16 seulement sont explicitement réservés à la famille (lire Ephésiens 5:22 à 6:4).

Pourquoi, dans le Nouveau Testament, une plus large place n'est-elle pas faite à la famille? Paul et les autres auteurs ne croyaient-ils pas en l'importance du foyer? Ne comprenaient-ils pas que la famille était la première institution de Dieu?

Notre surprise va croissant à mesure que nous considérons le reste du Nouveau Testament: six des lettres de Paul (Romains, 2 Corinthiens, Galates, Philippiens, 1 Thessaloniciens, 2 Thessaloniciens) ne font pas d'allusion directe à la famille (Paul utilise tout de même l'image de la famille en illustration dans 1 Thessaloniciens 2:7-11). Quatre de ses autres lettres seulement font brièvement allusion à la famille. Dans 1 Corinthiens, il mentionne quelques problèmes sur le mariage. Dans 1 Timothée, Paul parle de l'attitude que nous devons avoir vis-à-vis des veuves; nous voyons le reflet du foyer de Timothée à travers sa deuxième lettre; et dans sa correspondance avec Tite, Paul exhorte les veuves et les mères de famille à avoir un juste comportement dans leur foyer.

L'auteur des Hébreux ne dit rien sur la famille, Jacques et Jude non plus. L'apôtre Jean n'en parle dans aucune de ses trois épîtres ni dans le livre de l'Apocalypse. Le seul autre passage important des épîtres du Nouveau Testament traitant spécifiquement ce sujet, se trouve dans la première épître de Pierre, mais la seconde n'en parle pas.

Nous devons, une fois de plus, nous demander pourquoi. Puisque tant de problèmes dans le monde, depuis les temps les plus anciens, ont leur racine dans la famille, comment se fait-il que Dieu ne nous ait pas laissé un manuel sur la vie familiale? Pourquoi de plus larges passages du Nouveau Testament n'ont-ils pas été consacrés à cette importante institution? Pourquoi le Seigneur ne nous a-t-Il pas donné davantage de directives et d'instructions à ce sujet?

Il l'a fait! Si nous interprétons l'absence de références à la famille comme une place prépondérante accordée à l'Eglise, nous oublions que le foyer chrétien, dans le monde du Nouveau Testament, était pour ainsi dire synonyme d'Eglise. En vérité, la maison était souvent une Eglise locale, du moins dans les premiers temps (lire 1 Corinthiens 16:15). Le foyer, en particulier après que les chrétiens aient été bannis du culte dans les synagogues, devint le lieu de rencontre principal des chrétiens pour adorer le Seigneur. Ils construisirent par la suite des édifices, ce qui aux premiers jours de l'Eglise était interdit de par la loi. C'est pourquoi nous trouvons dans le Nouveau Testament de nombreuses références aux «cultes dans les maisons» (lire Romains 16:3-5; 1 Corinthiens 16:19; Colossiens 4:15; Philémon 2).

Ces observations nous conduisent à une conclusion particulièrement importante. Ce qui a été écrit à l'attention de l'Eglise, l'a aussi été à l'attention de la famille. Pratiquement tout le Nouveau Testament peut alors s'appliquer directement à toute famille. Voilà notre guide de la famille! L'Eglise englobe simplement toutes les cellules familiales qui prennent alors ses caractéristiques. La famille est véritablement l'*Eglise en miniature*. C'est vrai que les auteurs du Nouveau Testament, à l'occasion, n'hésitaient pas à parler de certains besoins inhérents à la vie de famille. Mais en général, ce qui était écrit pour l'ensemble des croyants se rapportait directement à la vie chrétienne dans le contexte plus petit du foyer.

Les caractéristiques d'une famille mûre

Ce que Paul et les autres auteurs des Ecritures ont considéré comme les caractéristiques les plus importantes d'une Eglise mûre, se détache nettement des pages du Nouveau Testament. Chaque fois qu'ils écrivaient à une Eglise dont ils étaient fiers, ils rendaient continuellement grâces à Dieu pour leur *foi*, leur *espérance* et leur *amour* communs, et plus spécialement pour leur amour (lire Colossiens 1:3-4; 1 Thessaloniciens 1:2-3). Lorsqu'ils écrivaient à une Eglise qui devait faire des progrès dans un de ces domaines, ils les encourageaient vivement (lire Ephésiens 1:15-18; 2 Thessaloniciens 1:3-4). C'est ainsi que Paul écrivait aux chrétiens de Corinthe qui étaient des personnes pas mûres et charnelles: «Maintenant donc ces trois choses demeurent: la foi, l'espérance, l'amour; mais la plus grande, c'est l'amour. Recherchez l'amour»

(1 Corinthiens 13:13; 14.1).

Puisque dans le Nouveau Testament, la famille est en fait l'Eglise en miniature, il s'ensuit tout naturellement que le degré de maturité d'une famille chrétienne peut aussi être déterminé par l'intensité de foi, d'espérance et d'amour exprimée par la famille tout entière, et surtout par les parents et les aînés. Les jeunes enfants constamment exposés à ce style de vie ne tarderont en général pas à imiter ces qualités et à les appliquer dans leur propre vie. Ces résultats ne sont pas en premier lieu le fruit de l'exhortation, mais celui de l'exemple. Dans des conditions normales, nos enfants sont appelés à devenir ce que nous sommes!

Comment reconnaître ces qualités en nous et en nos enfants? La *foi* est la faculté de croire en Dieu; de Lui faire confiance dans toutes les circonstances et dans toutes les situations; de demeurer fidèle dans les bons comme dans les mauvais jours; de ne pas douter de Son amour ni de l'intérêt qu'Il a pour nous; de «s'accrocher» à Dieu quand le malheur frappe, quand la confusion règne, quand tout va mal. «La foi, c'est l'assurance des choses qu'on espère, la démonstration de celles qu'on ne voit pas» (Hébreux 11:1).

L'*espérance* est intimement liée à la foi. Toutefois, elle se rattache plus spécifiquement à notre destinée éternelle. Elle reflète la fermeté, l'équilibre doctrinal et une foi inébranlable dans le fait que Jésus-Christ revient bientôt. Elle se reconnaît à la façon dont les membres de la famille témoignent de leur espoir en la vie éternelle, de leur assurance d'être sauvés pour l'éternité.

L'*amour*, pour en donner une définition succincte, c'est la ressemblance à Christ. Il renferme tout ce qui est propre à l'attitude de Jésus, notamment lorsqu'Il se trouvait parmi les hommes. «L'amour est patient, l'amour est serviable, il n'est pas envieux; l'amour ne se vante pas, il ne s'enfle pas d'orgueil, il ne fait rien de malhonnête, il ne cherche pas son intérêt, il ne s'irrite pas, il ne médite pas le mal, il ne se réjouit pas de l'injustice, mais il se réjouit de la vérité; il pardonne tout, il croit tout, il espère tout, il supporte tout. L'amour ne succombe jamais» (1 Corinthiens 13:4-8).

La foi, l'espérance et l'amour! Ce sont là les caractéristiques d'une Eglise et d'une famille mûres. Les auteurs du Nouveau Testament ne faisaient guère de différence entre l'Eglise et le foyer lorsqu'ils écrivaient à des groupes de chrétiens.

Philémon, un exemple biblique de maturité

L'une des illustrations les plus frappantes d'une famille mûre dans le Nouveau Testament est donnée par Paul dans l'une de ses plus courtes épîtres. Elle ne représente qu'un chapitre de notre Bible. Alors qu'il était emprisonné à Rome, Paul adressa une lettre à Philémon, qui habitait Colosses et que Paul appelait «notre bien-aimé compagnon d'œuvre» (verset 1). Il est intéressant de noter qu'il adresse aussi ses salutations «à l'Eglise qui est dans ta maison» (celle de Philémon) (verset 2).

Après les salutations, Paul rend grâces à Dieu tout particulièrement pour la maturité de Philémon; c'est souvent ainsi que l'apôtre Paul commence ses lettres. Voyez dans les versets suivants comment il rend grâces et prie: «Je rends continuellement grâces à Dieu, en faisant mention de toi dans mes prières; car j'entends parler de l'amour et de la foi dont tu fais preuve envers le Seigneur Jésus et pour tous les saints. Je lui demande que la communion de ta foi devienne agissante et que tu reconnaisses tout ce qui pour nous est le bien en vue de Christ. J'ai eu, en effet, beaucoup de joie et de consolation à cause de ton amour, car par toi, frère, le cœur des saints a été tranquillisé» (versets 4 à 7).

Nous voyons là les qualités de foi, d'espérance et d'amour dans la vie de Philémon (l'espérance est présente, bien qu'elle ne soit pas spécifiquement mentionnée). A l'exemple de Christ, Philémon en tant que chef de famille, mari prévenant et père plein de bon sens, influença toute sa famille. Il en sera toujours ainsi. Dans un foyer, le père en particulier, représente l'image de Dieu. Et du temps du Nouveau Testament, la correspondance adressée au chef de famille était en fait systématiquement rédigée pour l'ensemble de la famille. C'est d'ailleurs pour le degré de maturité de toute la famille de Philémon que Paul rendait grâces à Dieu.

La suite de la lettre de Paul raconte un événement intéressant. Paul fait appel à l'amour de Philémon (verset 9) pour un jeune homme du nom d'Onésime qui avait été l'un des esclaves de Philémon. Il semble qu'à sa conversion, Philémon ait décidé de suivre strictement les instructions de Paul de traiter ses esclaves comme des êtres humains semblables à lui-même, comme des compagnons dans la foi, des frères et sœurs en Jésus-Christ (Ephésiens 6:5-9; Colossiens 3:22-4:1). Mais Onésime était un jeune homme rebelle et irresponsable qui n'acceptait évidemment pas l'Evangile de Christ. Il profita de sa liberté et des nouvelles relations avec son maître pour s'échapper de la maison de Philémon, en emportant vraisemblablement des objets qu'il avait dérobés.

Grâce à la providence de Dieu, Onésime se retrouva à Rome et rencontra Paul qui se trouvait alors en prison. C'est là que l'apôtre le conduisit à une relation personnelle avec Jésus-Christ et lui enseigna la Parole de Dieu. Les exhortations pleines d'amour de Paul allèrent droit au cœur d'Onésime, et une grande amitié fraternelle s'établit entre le vieil apôtre et le jeune esclave.

Onésime fut pour Paul une source d'encouragements en pourvoyant à ses besoins personnels. D'un point de vue humain, Paul aurait bien aimé qu'Onésime reste avec lui à Rome, mais finalement il mit le jeune homme face à ses responsabilités vis-à-vis de son vrai maître, bien que cette décision lui soit difficile. C'est ainsi que Paul écrivit une lettre à Philémon, afin de jeter un pont entre Onésime et Philémon. «Je te prie, écrit Paul, pour mon enfant que j'ai engendré dans les chaînes, Onésime: autrefois il t'a été inutile, mais maintenant il te sera bien utile à toi comme à moi; je te le renvoie, lui qui est une partie de moi-même» (versets 10 à 12).

Malgré l'attachement que Paul a pour Onésime, une logique pleine de sincérité et de vigueur à l'égard de Philémon coule de sa plume avec la plus grande justesse. Son objectif est le cœur débordant d'amour de Philémon, sa maturité chrétienne et Paul n'a pas manqué le but. Comme nous allons le voir, seul un ami chrétien avec des intentions pures pouvait approcher Philémon comme Paul l'a fait. Une telle approche ne pouvait marcher qu'avec un homme de Dieu mûr, un homme de foi, d'espérance et d'amour, un homme comme Philémon.

Amitié. Il en appelle d'abord à Philémon en élevant Onésime à la hauteur de Philémon. Philémon était l'un des meilleurs amis de Paul. Elever un esclave inutile au rang de Philémon, c'était démontrer à cet homme combien la vie d'Onésime avait changé à la suite de sa rencontre avec Jésus-Christ. C'est ainsi qu'il écrit ceci: «J'aurais désiré le retenir auprès de moi, pour qu'il me serve à ta place, pendant que je suis dans les chaînes pour l'Evangile» (verset 13).

Courtoisie. Il intercède ensuite auprès de Philémon avec courtoisie, respectant en lui le bon maître et le propriétaire d'Onésime. Paul savait bien, dans son cœur, que Philémon aurait accepté qu'Onésime reste à Rome, mais il ne voulait pas manquer d'égards envers son ami.

C'est pourquoi Paul écrivit: «Mais je n'ai rien voulu faire sans ton avis, afin que ton bienfait n'ait pas l'air forcé, mais qu'il soit volontaire» (verset 14).

Providence. Après, Paul s'adresse à Philémon suivant le principe de Romains 8:28, l'intervention providentielle de Dieu dans la vie des chrétiens: «Peut-être, en effet, a-t-il été séparé de toi pour un temps, afin que tu le retrouves pour l'éternité, non plus comme un esclave, mais mieux qu'un esclave, comme un frère bien-aimé» (versets 15-16).

Egalité. Paul ensuite met en valeur un argument qui n'a certainement pas été sans surprendre Philémon. Il place l'amitié d'Onésime au niveau de sa propre amité avec Philémon, démontrant ainsi que tous sont un en Christ, quel que soit leur statut dans la société: «comme un frère bien-aimé, surtout de moi, et combien plus encore de toi, selon la chair et selon le Seigneur. Si donc tu me tiens pour ton ami, reçois-le comme moi-même» (versets 16-17).

Responsabilité personnelle. L'attitude psychologique sincère mais rigoureuse que Paul adopte vis-à-vis de son ami fortuné, atteint son paroxysme dans le passage suivant où il prend sur lui l'entière responsabilité du passé d'Onésime: «S'il t'a fait quelque tort, ou s'il te doit quelque chose, mets-le sur mon compte. Moi, Paul, je l'écris de ma propre main: je te le rembourserai, pour ne pas dire que tu te dois toi-même à moi. Oui, frère, que j'obtienne de toi ce service dans le Seigneur; tranquillise mon cœur en Christ» (versets 18 à 20).

Confiance. Paul va couronner tout ceci en déclarant ce que Philémon va réellement faire: «C'est en me fiant à ton obéissance que je t'écris, sachant que tu feras même au-delà de ce que je dis» (verset 21). Il est bien évident qu'à ce stade, Philémon ne pouvait guère faire moins. Paul s'était exprimé on ne peut plus clairement.

Cette histoire, peut-être plus qu'aucune autre dans le Nouveau Testament, nous donne un aperçu extraordinaire de la vie de famille de Philémon. Il était d'abord un exemple vivant de Christ pour tous les siens. Malgré sa richesse, il devint un homme de foi, d'espérance et d'amour qui reflétait Christ. Nous ne pouvons douter qu'il ait conduit toute sa famille et ses serviteurs à Christ. Il faisait régner une nouvelle atmosphère tout autour de lui et son attitude témoignait de son amour et de l'intérêt qu'il manifestait à chacun. Ses esclaves étaient aussi traités comme des frères et sœurs en Christ. Il exerça l'hospitalité, invitant l'Eglise à se rassembler dans sa maison et y accueillant les missionnaires de passage. C'est pourquoi Paul pouvait écrire en toute liberté pour conclure: «Prépare-moi un logement car j'espère vous être rendu, grâce à vos prières» (verset 22).

Fondation du foyer à la lumière du Nouveau Testament

Chaque foyer chrétien à l'époque du Nouveau Testament fonctionnait comme une Eglise en miniature. Du reste, certaines maisons faisaient office d'églises locales. Les signes de maturité qui caractérisaient familles et églises étaient la foi, l'espérance et l'amour. Tout ce qui était écrit à l'attention des églises locales était en fait adressé aux familles individuelles. Par conséquent, on peut dire que tout le Nouveau Testament, et plus spécialement les épîtres, sert de lignes directrices à la famille.

Mais quels sont les signes de maturité chrétienne? Comment les évaluer dans une famille, la vôtre, la mienne? De nos jours, nous aspirons souvent à avoir une Eglise néo-testamentaire, mais nous arrive-t-il seulement de penser à fonder un foyer néo-testamentaire?

1. *Quel est le rôle de la foi?* Quand vos enfants ont-ils pu réellement mesurer votre foi? Faites votre propre test! Quelle est votre première réaction face à une épreuve? Vous vous plaignez, vous murmurez, vous vous découragez, vous vous retournez contre les autres (ou même contre Dieu)? Etes-vous agité, contrarié, déprimé? Ou inquiet, tourmenté, bouleversé? Ou bien au contraire, levez-vous les yeux tout de suite vers le ciel en priant? Faites-vous preuve de confiance en Dieu, le laissant maître de la situation, sachant que toutes choses peuvent concourir au bien de ceux qui aiment le Seigneur (Romains 8:28)? Après avoir prié, agissez-vous en vous servant de ces principes pour vous guider? Vos enfants sont témoins de ces actions, qu'elles soient positives ou négatives. Que leur enseignent-elles?

Parents, avez-vous déjà entraîné vos enfants

dans une aventure de foi? Avez-vous déjà fait ensemble quelque chose qui mette votre foi à l'épreuve?

Avertissement! Ne soyez pas trop naïf. Par exemple, il ne serait pas raisonnable d'acheter une bicyclette à votre enfant en pensant que Dieu va pourvoir, alors que vous n'en avez pas les moyens. Vous lui enseigneriez l'irresponsabilité plutôt que la foi. Vous pouvez faire confiance à Dieu pour gagner vos voisins à Christ, ou pour que Dieu change l'attitude ou la façon de penser de quelqu'un, d'un professeur, d'un entraîneur, d'un ami par exemple.

Remarque: Soyez prêt à participer à la réponse de Dieu. Il arrive que nous priions et que Dieu réponde en nous ouvrant une porte qui nous permette de prendre part à la solution, nous apportant ainsi la réponse attendue, mais souvent nous passons à côté de l'occasion qui se présente. Ainsi, Dieu nous aide, par exemple, à construire un pont qui va nous mener chez notre voisin et il se peut fort bien que nous ne traversions pas ce pont. Il s'agit là bien sûr, de la foi sans les œuvres dont la Bible parle et qui est morte!

Question importante: Qu'apprennent vos enfants (et vos voisins) sur la foi en vous voyant vivre?

2. *Quelle est la nature de votre espérance?* En tant que parents, faites-vous preuve de sécurité en Jésus-Christ? Savez-vous que vous avez la vie éternelle par la foi en Jésus-Christ? Qu'est-ce qui est le plus important dans votre

vie: ce monde-ci ou le monde à venir? Que pensez-vous de la seconde venue de Jésus-Christ? Vivez-vous jour après jour à la lumière de Son retour? Quelle est votre attitude vis-à-vis de ceux qui ne connaissent pas Jésus-Christ? Les considérez-vous comme des gens sans espoir? Les avez-vous à cœur? Communiquez-vous votre foi aux autres?

Question importante: Qu'apprennent vos enfants (et vos voisins) sur l'espérance en vous voyant vivre?

3. *Quelle est la nature de votre amour?* Comment montrez-vous de manière vraiment spécifique votre amour pour Dieu? En tant que mari et femme, comment manifestez-vous votre amour mutuel? Et envers vos enfants? Qu'apprennent de vous ceux qui vous entourent sur la nature de Christ en vous, la patience, la bonté, l'humilité, la compassion, la bienveillance, l'abnégation, et même sur le pardon ou les bonnes intentions? Apprennent-ils de vous ce qu'est la vraie nature de l'amour?

Question importante: Qu'apprennent vos enfants (et vos voisins) sur l'amour en vous voyant vivre? L'idéal de Dieu c'est que l'homme de la maison, le mari et père, soit d'abord celui qui a la responsabilité de gouverner la famille et qui lui donne le ton dans sa marche spirituelle et psychologique. Son exemple, comme celui de Philémon, est primordial pour établir une bonne communication chrétienne entre les membres de la famille. Son attitude va donner le ton pour créer l'unité. En exerçant son sens de l'hospitalité, il fera de son foyer un lieu où tout le monde sera le bienvenu.

Dans le cas où le mari, le père, ne serait pas chrétien (comme c'était le cas dans le foyer de Timothée), c'est la mère de famille qui devra prendre la responsabilité de présenter à ses enfants et à son mari non sauvé l'exemple de Jésus-Christ. Comme nous allons le voir dans les chapitres suivants, la Bible nous donne des instructions spéciales pour les situations particulières.

Remarque: Tous les pères de famille et maris non-chrétiens ne sont pas de mauvais pères et époux. Il en est d'ailleurs qui pourvoient mieux que certains chrétiens charnels aux besoins de leur famille et les aiment mieux. Ne jugez pas trop rapidement! Le fait que vous deveniez chrétien ne signifie pas automatiquement que vous allez faire un bon chef de famille dans votre foyer.

Examen de soi et suggestions

Examinez les questions importantes! Comment évaluez-vous votre rôle de parents? Comment évaluez-vous votre maturité collective en tant que famille? Et que pouvez-vous faire dans l'immédiat pour répondre d'une façon plus effective aux critères de Dieu?

Projets de famille ou de groupe

Etape 1: Révisez ce chapitre. Puis que chaque membre de la famille ou du groupe choisisse le domaine où il a le plus besoin de s'améliorer. La foi peut-être, ou l'espérance, à moins que ce ne soit l'amour. Si vous le préférez, que chacun prenne sa décision en secret, dans le fond de son cœur.

Etape 2: Discutez en famille pour savoir comment vous pourriez améliorer l'une de ces qualités au sein de votre famille.

2
LE FOYER,
ses caractéristiques chrétiennes

Qu'est-ce qui, au temps du Nouveau Testament, faisait d'une famille chrétienne une cellule sociale unique? Qu'est-ce qui différenciait un foyer chrétien d'un foyer païen?

Le monde en miniature

Bien que l'histoire décrive les divers modes de vie qui étaient en vogue à l'époque du Nouveau Testament, la Bible n'en demeure pas moins la meilleure source d'informations. La situation du monde en général représentait la vie de famille en particulier. De même que la famille chrétienne était appelée à fonctionner comme l'Eglise en miniature, la famille non-chrétienne représentait le «monde en miniature». Autrement dit, de même que le degré de maturité d'une Eglise locale reflète le degré de maturité de chaque cellule familiale (et vice versa), de même le niveau moral du monde reflète le niveau moral des familles qui constituent ce monde (et vice versa).

Quelle était alors la situation universelle? Qu'est-ce qui caractérisait la communauté païenne et les familles qui la constituaient? Paul, en écrivant aux chrétiens d'Ephèse, a répondu de façon très claire à ces questions: «Voici donc ce que je dis et ce que j'atteste dans le Seigneur: c'est que vous ne devez plus marcher comme les païens, qui marchent selon la vanité de leur intelligence. Ils ont la pensée obscurcie, ils sont étrangers à la vie de Dieu, à cause de l'ignorance qui est en eux et de l'endurcissement de leur cœur. Ils ont perdu tout sens moral, ils se sont livrés au dérèglement, pour commettre toute espèce d'impureté jointe à la cupidité» (Ephésiens 4:17-19).

Ce passage décrit le mode de vie des païens. Ces personnes avaient la pensée obscurcie, elles étaient étrangères à la vie de Dieu, pleines d'ignorance et avaient le cœur endurci. Leur vie était marquée par la vanité, l'absence de sens moral, le dérèglement et l'impureté.

Dans sa première lettre à Timothée, qui se trouvait à Ephèse, Paul décrit aussi les conditions de vie du monde néo-testamentaire. Je vous accorde que Paul parlait des derniers jours, mais à ce moment-là, l'apôtre ne pouvait savoir que son époque n'était pas celle du retour de Jésus-Christ. Dieu n'a pas révélé à Paul Son emploi du temps eschatologique. Ses écrits nous montrent qu'il vivait constamment dans l'attente de la deuxième venue de Jésus.

C'est seulement vers la fin de sa vie que Paul prit conscience qu'il allait vraisemblablement mourir avant que Jésus ne revienne, mais là encore, il pensait que le retour du Seigneur aurait lieu peu après sa mort. Voyez ce qu'il écrit sur les conditions dans le monde peu de temps avant sa mort: «Sache que, dans les derniers jours, surgiront des temps difficiles. Car les hommes seront égoïstes, amis de l'argent, fanfarons, orgueilleux, blasphémateurs, rebelles à leurs parents, ingrats, sacrilèges, insensibles, implacables, calomniateurs, sans frein, cruels, ennemis des gens de bien, traîtres, impulsifs, enflés d'orgueil, aimant leur plaisir plus que Dieu; ils garderont la forme extérieure de la piété, mais ils en renieront la puissance» (2 Timothée 3:1-5).

Bien que toutes ces caractéristiques reflètent sans doute les conditions de vie de bien des familles païennes en ce temps-là, il en est une, bien sûr, qui se détache encore plus nettement des autres: les enfants étaient «rebelles à leurs parents». Ils ne montraient que très peu de respect à ceux qui les avaient mis au monde, et ils ne les honoraient guère. Comme nous le verrons plus loin, lorsque Paul utilise le mot «enfants», il ne parle pas d'enfants en bas âge, mais des enfants mûrs et adultes.

Recommandations générales pour la famille

A la lumière des conditions qui existaient dans la famille non-chrétienne moyenne, qu'en était-il de la famille chrétienne qui vivait dans un monde païen? Là encore, nous voyons que

Paul, dans son épître aux Ephésiens, a répondu à cette question dans différents passages d'une façon très explicite, les recommandations pour l'Eglise étant aussi valables pour la famille.

Après une description du monde païen, Paul nous dit: «Mais vous, ce n'est pas ainsi que vous avez appris (à connaître) le Christ, si du moins vous avez entendu parler de lui, et si vous avez été instruits en lui, conformément à la vérité qui est en Jésus: c'est-à-dire vous dépouiller, à cause de votre conduite passée, de la vieille nature qui se corrompt par les convoitises trompeuses, être renouvelés par l'Esprit dans votre intelligence, et revêtir la nature nouvelle, créée selon Dieu dans une justice et une sainteté que produit la vérité» (Ephésiens 4:20-24).

Après avoir décrit la nouvelle position en Christ du chrétien, l'apôtre Paul continue en dressant la liste d'un certain nombre de choses que ne devraient plus faire les chrétiens au sein de la famille, de l'Eglise, ou en compagnie de leurs amis païens. Sa liste implique que les chrétiens doivent mettre en pratique les traits de caractère opposés.

La franchise: «Rejetez le mensonge et que chacun de vous parle avec vérité à son prochain» (Ephésiens 4:25).

La maîtrise de soi: «Si vous vous mettez en colère, ne péchez pas; que le soleil ne se couche pas sur votre irritation» (Ephésiens 4:26).

L'honnêteté: «Que celui qui dérobait ne dérobe plus» (Ephésiens 4:28).

Le zèle: Il doit «prendre la peine, en travaillant honnêtement de ses mains» (Ephésiens 4:28).

La générosité: Son but doit être de partager avec ceux qui sont dans le besoin (Ephésiens 4:28).

La bienséance: «Qu'il ne sorte de votre bouche aucune parole malsaine» (Ephésiens 4:29).

L'altruisme: Dites plutôt «quelque bonne parole qui serve à l'édification nécessaire et communique une grâce à ceux qui l'entendent» (Ephésiens 4:29).

Les sentiments à l'égard de Dieu: «N'attristez pas le Saint-Esprit de Dieu» (Ephésiens 4:30).

Après ces conseils précis, Paul résume ainsi sa pensée: «Que toute amertume, animosité, colère, clameur, calomnie, ainsi que toute méchanceté soient ôtées du milieu de vous. Soyez bons les uns envers les autres, compatissants, faites-vous grâce réciproquement, comme Dieu vous a fait grâce en Christ. Soyez donc les imitateurs de Dieu, comme des enfants bien-aimés; et marchez dans l'amour, de même que le Christ nous a aimés et s'est livré lui-même à Dieu pour nous en offrande et en sacrifice comme un parfum de bonne odeur» (Ephésiens 4:31-5:2).

Recommandations spéciales pour la famille

Bien que les instructions données par Paul à l'Eglise soient aussi destinées à la famille, il avait tout de même quelque chose de spécial à dire à chacun des membres de la famille. Ainsi lorsque Paul écrivit aux chrétiens d'Ephèse à propos de la vie chrétienne en général, il mit succinctement en lumière les différentes caractéristiques qui devaient spécialement opposer la famille chrétienne à la famille païenne type. C'est ainsi qu'il aborde quatre relations qui ressemblent à celles que l'on trouve dans l'Eglise, mais qui sont différentes:

Femmes et maris: «Femmes, soyez soumises chacune à votre mari, comme au Seigneur» (5:22).

Maris et femmes: «Maris, aimez chacun votre femme, comme le Christ a aimé l'Eglise» (5:25).

Enfants et parents: «Enfants, obéissez à vos parents selon le Seigneur» (6:1).

Pères et enfants: «Et vous, pères, n'irritez pas vos enfants, mais élevez-les en les corrigeant et en les avertissant selon le Seigneur» (6:4).

Pour bien comprendre ce que dit Paul, il est indispensable de replacer ses écrits dans le contexte biblique et culturel. Il nous arrive souvent de discuter des concepts de soumission, amour et obéissance sans le contexte, ce qui nous conduit à des interprétations extrêmes, surtout à propos de la position de la femme et de l'enfant dans le foyer.

Permettez-moi de vous expliquer ma pensée. Les mots soumission, amour, obéissance et honneur, ainsi que l'expression «éduquer avec patience» ne s'emploient pas exclusivement pour femmes, maris, enfants et pères. Ces mots s'emploient plutôt pour décrire les relations qui s'établissent entre tous les membres du corps de Christ. *Tous* les chrétiens sont tenus de «se soumettre les uns aux autres» (5:21), ce qui implique que les maris doivent se soumettre à leur femme, et vice versa. Tous les chrétiens doivent «marcher dans l'amour» (5:2). Tous les chrétiens doivent obéissance et honneur à ceux qui détiennent l'autorité (Hébreux 13:17; 1 Thessaloniciens 11:12-13). Ceux qui exercent l'autorité au sein de l'Eglise ne doivent pas traiter avec arrogance ceux qui leur ont été confiés, mais bien au contraire «devenir les modèles du troupeau» (1 Pierre 5:3). De plus, nous sommes tous tenus d'éviter de nous décourager l'un l'autre, et tous nous devons nous instruire réciproquement et nous mettre mutuellement en garde (Hébreux 3:13; Colossiens 3:16).

Autrement dit, puisque le foyer est l'Eglise en miniature, il s'ensuit que les maris doivent aussi se soumettre à leur femme, que les femmes doivent aimer leur mari, que les enfants doivent se soumettre à leurs parents et les aimer, et que les parents doivent être attentifs à leurs enfants.

Ceci nous amène à nous poser une question très intéressante. Si nous pouvons utiliser ces mots pour décrire toutes les relations au sein de la famille, pourquoi Paul choisit-il ces concepts pour décrire d'une manière spécifique certaines relations dans la cellule familiale? Un examen attentif de la culture du Nouveau Testament et du contexte des Ecritures nous expose deux raisons principales. Il existait un besoin évident à l'époque d'insister sur ces fonctions à cause des conditions et des pressions d'ordre culturel propres au monde néo-testamentaire. Nous nous étendrons davantage sur ce sujet dans les chapitres suivants.

La seconde de ces raisons, c'est que, dans le plan que Dieu a prévu pour la famille, ces fonctions revêtent une signification toute particulière, et il y a au moins deux raisons pourquoi cela est vrai.

Je dois vous avertir d'une chose; en lisant les deux chapitres suivants, certains auront envie de jeter ce livre: en particulier ceux qui sont partisans des droits de la femme, mais je le suis aussi. Veuillez écouter mon explication. Lorsque j'aurai terminé, si vous estimez encore que, d'un point de vue psychologique et biblique, j'ai tort, faites-le moi savoir car je fais tout mon possible pour garder l'esprit ouvert.

1. **Raisons d'ordre théologique.** Depuis la création, Dieu a distribué à chacun des membres de la famille des rôles bien déterminés. Dieu créa l'homme en premier, plaçant ainsi sur ses épaules une plus grande responsabilité pour régir les affaires du foyer. Il s'ensuit tout naturellement que la femme est tenue de reconnaître cette responsabilité donnée par Dieu. Paul rappelle aux chrétiennes d'Ephèse que «le mari est le chef de la femme, comme Christ est le chef de l'Eglise» (5:23).

De même, Dieu donna aux parents l'autorité sur leurs enfants. Il exprime très clairement dans les Dix Commandements, que les enfants doivent honorer leurs père et mère. Mais, d'un autre côté, cela ne donne pas aux pères le droit de dominer sur leurs enfants en les gouvernant de telle manière que leur personnalité s'en trouve étouffée.

2. **Raisons d'ordre psychologique.** Les lois de la psychologie sont aussi inhérentes aux fonctions attribuées par Dieu aux maris et aux femmes, aux parents et aux enfants. Lorsqu'elles sont interprétées correctement, les déclarations d'ordre théologique de Dieu opèrent en harmonie avec la nature psychologique de l'homme. Quand ces lois théologiques et psychologiques sont violées, il est impossible à l'homme d'atteindre son potentiel en termes de sécurité et de bonheur. Ce que Paul dit à chaque membre de la famille est donc pour notre bien. Pour autant que cela soit possible, il veut que nous soyons des êtres humains accomplis.

Ceux qui agissent contrairement aux lois de Dieu ne trouveront jamais ce qu'ils recherchent, quel que soit le degré de sincérité de leurs efforts. Il est curieux de constater que certains groupes qui parlent beaucoup de l'épanouissement, ne pourront en fait y parvenir qu'après avoir conformé leur vie à la volonté de Dieu. Il n'existe aucun autre moyen d'y parvenir. Nous pouvons lever le poing vers Dieu, l'injurier, et aller jusqu'à nier Son existence, cela ne changera rien à la réalité: *Dieu existe.* Il a attribué certains rôles à chacun des membres de la famille et si nous ne les respectons pas, nous ne trouverons pas le vrai bonheur. Nos frustrations et nos anxiétés du moment n'en seront qu'accentuées et se transformeront éventuellement en amertume et en désillusion.

Dieu a un plan unique pour la famille

Il existe une raison encore plus importante pourquoi Dieu a établi des rôles déterminés pour les membres de la famille chrétienne, et a insisté sur ces rôles, par l'intermédiaire de Son serviteur Paul, dans les lettres aux Ephésiens et aux Colossiens. Elle est liée à la raison de notre existence.

Pourquoi Paul a-t-il dit: «Femmes, soyez soumises chacune à votre mari, comme au Seigneur»?

Premièrement, dans le plan de Dieu, les femmes ne doivent pas dominer leur mari ni user d'autorité sur eux. Or, la pratique contraire commençait sérieusement à se répandre chez les païens, et plus spécialement dans les environs d'Ephèse.

Deuxièmement, la soumission est l'une des choses les plus difficiles à faire pour beaucoup d'épouses. Depuis que le péché est entré dans le monde, c'est une tendance naturelle pour tout être humain que de résister à l'autorité. C'est à cause de la désobéissance et du refus de se soumettre à l'autorité de Dieu, que le péché est entré dans le monde. C'est donc un problème d'ordre universel que Paul traite.

Troisièmement, si les femmes violent cette loi psychologique, elles vont connaître davantage d'insatisfaction et d'insécurité. Par contre, lorsqu'une femme se conforme à cette loi, son attitude produit les meilleurs résultats pour elle personnellement; elle apporte à son mari un témoignage des plus significatifs et elle attire des bienfaits particuliers sur toute sa famille.

Quatrièmement, et c'est le point le plus important, lorsque la femme accomplit la mission que Dieu lui a donnée, elle contribue à créer un environnement qui permettra à sa famille de devenir un témoignage hors pair pour le monde non-chrétien. Bref, elle aide à remplir la Grande Mission.

Pourquoi Paul a-t-il dit: «Maris, aimez chacun votre femme, comme le Christ a aimé l'Eglise»?

Premièrement, dans le plan de Dieu, l'homme doit être le chef de famille à la ressemblance de Christ.

Deuxièmement, aimer comme Christ nous a aimés est la chose la plus difficile à faire pour un homme, surtout dans une culture où les femmes étaient bien souvent traitées comme des esclaves. C'est pourquoi Paul insiste sur ce point dans ses épîtres aux Ephésiens et aux Colossiens.

Troisièmement, lorsqu'un homme aime comme Christ a aimé, son amour produit les meilleurs résultats dans sa propre vie, dans la vie de sa femme et dans celle de toute sa famille.

Quatrièmement, et c'est là encore le point le plus important, lorsqu'un homme donne l'exemple d'aimer sa femme à la manière de Christ, son attitude gagne toute la famille, ce qui crée l'unité et l'harmonie qui deviennent à leur tour les éléments de base pour un témoignage au monde non-chrétien.

Pourquoi Paul a-t-il dit: «Enfants, obéissez à vos parents selon le Seigneur, car cela est juste: Honore ton père et ta mère»?

Premièrement, c'est dans le plan de Dieu.

Deuxièmement, obéir et respecter ses parents est pour l'enfant l'une des choses les plus difficiles à faire, surtout dans un milieu où la tendance est à la désobéissance et au manque de respect, comme c'était le cas à l'époque du Nouveau Testament (et comme ce l'est encore de nos jours).

Troisièmement, l'obéissance et le respect produisent les meilleurs résultats dans la vie des enfants et dans celle des parents. Là encore, ce sont les meilleurs éléments pour créer joie et harmonie dans le foyer.

Quatrièmement, et toujours le point le plus important, les familles où les enfants obéissent à leurs parents et les respectent, deviennent d'excellents exemples au sein d'une communauté et portent un bon témoignage pour Jésus-Christ.

Pourquoi Paul a-t-il dit: «Pères, n'irritez pas vos enfants, mais élevez-les en les corrigeant et en les avertissant selon le Seigneur»?

Premièrement, c'est dans le plan de Dieu (ces mots vous sont-ils familiers maintenant?).

Deuxièmement, la chose la plus difficile à faire pour les hommes, c'est d'acquérir une certaine sensibilité vis-à-vis de leurs enfants et de commencer à assumer la responsabilité de leur éducation. C'était valable à l'époque du Nouveau Testament (et ce l'est encore aujourd'hui). Avant leur conversion, ces attitudes ne faisaient pas partie de leur mode de vie. Les femmes avaient seules la responsabilité des enfants lorsque leurs maris passaient la plupart du temps à faire ce qui leur plaisait et à satisfaire leurs propres désirs égoïstes en dehors de leur foyer.

Troisièmement, lorsqu'un homme assume la tâche que Dieu lui a confiée en tant que père de famille, sa fidélité produit les meilleurs résultats en chacun des membres de la famille et le rend aussi heureux.

Quatrièmement, le plus important des points, lorsqu'un père fait vraiment preuve de sollicitude, l'impact qu'il a alors sur le monde qui l'entoure est évident. Cela lui permet d'enseigner à ses voisins non-chrétiens quelle est la nature de Dieu, le Père céleste, qui désire que tout homme parvienne à la connaissance de Son Fils, Jésus-Christ.

Le pont qui mène au monde

Tant dans l'espace que dans le temps, le dessein suprême de Dieu pour chaque Eglise locale est de révéler Sa gloire à tous les hommes et de proclamer le message de Jésus-Christ, le Sauveur du monde. Puisque chaque famille représente l'Eglise en miniature, il s'ensuit que le dessein suprême de Dieu pour chaque famille est le même que pour l'Eglise.

Selon le plan de Dieu, tous les croyants doivent vivre sur cette terre dans des groupes de chrétiens locaux s'aimant d'un amour vrai et qui témoignent d'une unité de cœur et d'esprit, de façon à communiquer aux autres le message que Christ est vraiment venu de Dieu. C'est ce que Jean 17 met particulièrement en valeur dans la prière de Jésus pour Ses disciples: «Ce n'est pas pour eux seulement que je prie, mais encore pour ceux qui croiront en moi par leur parole, afin que tous soient un; comme toi, Père, tu es en moi, et moi en toi, qu'eux aussi soient un en nous, afin que le monde croie que tu m'as envoyé. Et moi, je leur ai donné la gloire que tu m'as donnée, afin qu'ils soient un comme nous sommes un — moi en eux, et toi en moi —, afin qu'ils soient parfaitement un, et que le monde connaisse que tu m'as envoyé et que tu les as aimés, comme tu m'as aimé» (Jean 17:20-23).

Puisque c'est le plan de Dieu pour chaque Eglise locale, Dieu désire également que chaque famille proclame ce message à ses voisins non-chrétiens. En fait, dans la plupart des cultures, le foyer peut devenir le premier canal de transmission de cet amour et de cette unité. Le foyer a un climat de confiance propre à accueillir les non-chrétiens, contrairement au local de l'église qui peut créer de l'anxiété chez les pécheurs ou pour ceux qui auraient fait une mauvaise expérience avec les chrétiens.

Quels sont les facteurs qui font du foyer un témoignage vivant au sein de la communauté? C'était, semble-t-il, le premier souci de Paul dans ses épîtres aux Ephésiens et aux Colossiens. Ces facteurs sont clairs. Un foyer devient un témoignage dynamique auprès du monde lorsque les femmes se soumettent à leur mari, comme au Seigneur; lorsque les maris aiment leur femme comme Christ a aimé l'Eglise; lorsque les enfants obéissent à leurs parents, les respectent et les honorent dans le Seigneur; et lorsque les pères n'irritent pas et ne découragent pas leurs enfants, mais les élèvent en les corrigeant et en les avertissant selon le Seigneur. Cela crée une unité qui établit un pont dynamique vers les voisins non-chrétiens, pont que nous pouvons traverser pour communiquer le message direct de l'Evangile afin d'amener d'autres familles à Jésus-Christ.

Examen de soi et suggestions

Choisissez le paragraphe qui s'applique à vous et faites-en votre prière personnelle:

☐ En tant qu'épouse, je vais évaluer mon rôle, surtout l'attitude et le comportement que j'ai avec mon mari. Je vais m'efforcer d'agir en chrétienne dans tout ce que je fais, me soumettant à mon mari, comme au Seigneur.

☐ En tant que mari, je vais évaluer mon rôle, surtout mes attitude et actes avec ma femme. Je vais agir en chrétien dans tout ce que je fais, aimer comme Jésus aime. Je ferai tout mon possible pour faire de la soumission une voie à double sens, sans renoncer pour autant à mon rôle de chef de famille.

☐ En tant qu'enfant, ou jeune au foyer, je vais évaluer mon rôle, surtout l'attitude et le comportement que j'ai envers mes parents. Je ferai tout mon possible pour leur obéir, les respecter et les honorer selon le Seigneur.

☐ En tant que père de famille, vais évaluer mon rôle, et plus précisément l'attitude et le comportement que j'ai envers mes enfants. Je ferai tout mon possible pour ne pas les irriter ou les décourager, mais au contraire pour les élever en les corrigeant et en les avertissant selon le Seigneur.

Projet de famille ou de groupe

Discutez et voyez comment, en famille, vous pouvez tenir l'engagement suivant: «En famille, nous ferons tout notre possible pour être des témoins vivants dans notre communauté, en veillant à ce que chacun respecte le rôle que Dieu lui a attribué.»

3
L'EPOUSE CHRETIENNE
et la soumission

L'ordre de Paul aux femmes de se soumettre à leur mari, aussi bien dans son épître aux Ephésiens que dans celle aux Colossiens, est vraisemblablement devenu une des déclarations les plus controversées de toute la Bible, surtout au cours des années 70. La majorité des non-chrétiens nient l'autorité de l'Ecriture et rejettent l'ordre de Paul comme étant une attitude étroite d'esprit et médiévale. Pour eux il s'agit de l'opinion d'un seul homme, qui était d'ailleurs bourré de préjugés. Les sociologues et les psychologues ne seraient pas à court de raisons pour qualifier Paul d'inadapté, de névrosé, d'égocentrique et même d'homme cruel. Certaines «femmes libérées» de notre époque moderne ne se gêneraient pas pour employer des termes encore plus forts. Cependant, même certains chrétiens qui disent pourtant croire à l'inspiration plénière de la Bible, ont interprété à leur façon la déclaration de Paul. Certains prétendent que l'autorité conférée dans la famille ou dans l'Eglise, n'existe pas. Leur mot-clef est «égalitarisme». S'appuyant sur la déclaration de Paul dans Galates 3:28 qu'en Christ il n'y a plus «ni homme ni femme», ils essayent de démontrer par l'Ecriture que nous sommes un et parfaitement égaux à tous égards.

D'autres chrétiens essayent de réduire ce dilemme en faisant remarquer que Paul a été influencé par son éducation juive, et qu'ainsi il a coloré la Parole de Dieu de tendances subjectives. L'ennui avec cette théorie, c'est qu'elle laisse, bien sûr, la porte ouverte à toute erreur dans les Ecritures; si Paul s'est trompé sur ce point, peut-on accepter la «justification par la foi»?

D'autres chrétiens encore, qui ne veulent pas être aussi catégoriques, disent que la déclaration de Paul n'est pas absolue et reflète les problèmes culturels dans l'Eglise du Nouveau Testament. Par conséquent, ils ne pensent pas que cette déclaration de Paul s'applique de nos jours, mais croient que l'apôtre soulevait un problème particulier qui se posait dans une Eglise particulière à une certaine époque de l'histoire.

Il est vrai qu'il y a des exemples dans la Bible qui présentent un caractère essentiellement culturel. Paul, par exemple, à plusieurs reprises, apprend aux chrétiens du Nouveau Testament à «saluer tous les frères d'un saint baiser» (1

Thessaloniciens 5:26; Romains 16:16; 1 Corinthiens 16:20; 2 Corinthiens 13:12; 1 Pierre 5:14). Ce qui est absolu dans cette déclaration, c'est le fait que les chrétiens doivent toujours se saluer avec amour dans le Seigneur; mais la forme que doit prendre le salut varie de culture en culture. Dans la nôtre, un baiser en guise de salut n'est peut-être pas acceptable, tandis que dans la culture néo-testamentaire cette pratique était des plus communes, de même qu'elle l'est de nos jours dans certains pays, même parmi les non-chrétiens.

Mais pouvons-nous classer dans la même catégorie l'invitation que Paul fait concernant la soumission dans Ephésiens 5:22 et Colossiens 3:18? Quelle est donc la position de la Bible sur la soumission? Qu'est-ce que Paul (et les autres auteurs de l'Ecriture) a voulu dire? Pour répondre à ces questions, nous devons considérer l'ensemble des Ecritures, et ne pas nous arrêter seulement à quelques textes. Nous devons aussi nous méfier des interprétations subjectives auxquelles nous pourrions nous laisser aller dans le but de faire prouver à la Bible ce que nous voulons croire. Si nous respectons ces conditions, nous parviendrons à voir la relation mari-femme telle que Dieu la conçoit.

Avant et après la chute

Le concept de soumission n'est pas une vérité enseignée seulement par l'apôtre Paul. En fait, l'autorité biblique sur laquelle il s'appuie repose sur l'histoire de la création. Comme vous le savez, Dieu a d'abord créé l'homme. Mais ensuite, Il déclara: «Il n'est pas bon que l'homme soit seul; je lui ferai une aide qui sera son vis-à-vis» (Genèse 2:18).

C'est ce que Dieu fit! Il «fit tomber un profond sommeil sur l'homme qui s'endormit; il prit une de ses côtes et referma la chair à sa place. L'Eternel forma une femme de la côte qu'il avait prise à l'homme et il l'amena vers l'homme» (Genèse 2:21-22).

Bien des années après, alors que l'apôtre Paul parlait avec les chrétiens de Corinthe du culte, il énonca un point fondé sur cette même vérité biblique de l'histoire de la création. Voici ce qu'il dit: «En effet, l'homme n'a pas été tiré de la femme, mais la femme a été tirée de l'homme; et l'homme n'a pas été créé à cause de la femme, mais la femme à cause de l'homme» (1 Corinthiens 11:8-9).

Ici, Paul parle de l'ordre de la création de Dieu, et aussi de la raison pour laquelle Il créa la femme. Ce dont il parle se produisit avant que le péché n'entre dans le monde. Autrement dit, la relation actuelle qui existe entre l'homme et la femme est due non seulement à la chute, mais aussi au plan original de Dieu lorsqu'Il créa la femme pour l'homme.

Paul accentue encore cette vérité lorsqu'il déclare que l'homme «est l'image et la gloire de Dieu, tandis que la femme est la gloire de l'homme» (1 Corinthiens 11:7). Par la création, l'homme en premier refléta l'image unique de Dieu. Puisque la femme a été tirée de l'homme, elle représente en quelque sorte l'image unique de l'homme, bien qu'il s'ensuit certainement qu'elle reflète aussi, comme Adam, l'image de Dieu.

L'apôtre Pierre énonce cette même idée. Parlant en premier lieu des femmes qui avaient des maris non-chrétiens, il dit sans qu'il y ait d'équivoque possible: «Vous de même, femmes, soyez soumises chacune à votre mari» (1 Pierre 3:1). Plus loin, dans le même passage, il illustre la soumission en faisant allusion aux femmes de l'Ancien Testament: elles étaient «soumises, dit Pierre à leur mari, telle Sara qui obéissait à Abraham et l'appelait son seigneur. C'est d'elle que vous êtes devenues les descendantes, si vous faites le bien, sans vous laisser troubler par aucune crainte» (1 Pierre 3:5-6).

Il semble presque impossible d'interpréter ces passages qui nous parlent de la soumission et de l'ordre divin dans l'Ancien et le Nouveau Testament, comme étant des instructions purement culturelles. Toute la Bible proclame que l'homme, de par sa création, est investi d'autorité au sein de sa famille. Cela fait partie du plan que Dieu a ordonné, depuis le début de la création.

La relation femme-homme fut affectée par l'entrée du péché dans la race humaine. Après qu'Eve et Adam aient désobéi, Dieu leur parla clairement de l'effet du péché sur leurs relations. Dieu dit à Eve: «Je rendrai tes grossesses très pénibles. C'est avec peine que tu accoucheras. Tes désirs se porteront vers ton mari, mais il dominera sur toi» (Genèse 3:16).

La soumission de la femme à l'homme existait avant la chute, mais cela fut compliqué par cette chute. Une fois entré dans la race humaine, le péché souleva toutes sortes de problèmes dans les relations homme-femme. L'homme devint pécheur, et ce faisant abusa du rôle de chef de famille qui lui avait été conféré par Dieu; nous développerons ce sujet au chapitre suivant.

Soumission au sein de l'Eglise

Il est particulièrement important dans les Ecritures de distinguer ce qui est culturel et ce qui ne l'est pas, ce qui est absolu et ce qui ne l'est pas. Le fait que Paul applique cette théorie aux hommes et aux femmes au sein de l'Eglise prouve aussi que le concept de la soumission n'était pas uniquement culturel. Là encore, nous voyons que les relations entre l'Eglise et le foyer sont uniques.

Dans l'assemblée de Corinthe, il est probable que les femmes s'étaient engagées dans des activités qui violaient le principe de la soumission. C'est pourquoi Paul écrit: «Comme dans toutes les Eglises des saints, que les femmes se taisent dans les assemblées, car il ne leur est pas permis d'y parler; mais qu'elles soient soumises, comme le dit aussi la loi» (1 Corinthiens 14:33-34).

Lorsque Paul écrivit à Timothée, il souligna aussi le même point: «Que la femme s'instruise en silence avec une entière soumission. Je ne permets pas à la femme d'enseigner, ni de prendre autorité sur l'homme, mais qu'elle demeure dans le silence» (1 Timothée 2:11-12). Dans ce passage, Paul justifie sa pensée en se référant encore à l'ordre de la création: «Car Adam a été formé le premier, Eve ensuite» (verset 13), et aussi en se référant au fait que le péché est entré dans la race humaine: «et ce n'est pas Adam qui a été séduit, c'est la femme qui, séduite, s'est rendue coupable de transgression» (verset 14). Bien sûr, Adam aussi a péché, mais c'est Eve qui a péché la première.

Nous voyons donc que la position biblique sur les relations entre hommes et femmes est logique. Que ce soit au foyer ou dans l'Eglise, les hommes doivent occuper une position de responsabilité et d'autorité.

Que veut dire la Bible par «soumission»?

Il y a bien des manières d'interpréter ce qu'enseigne la Bible sur les femmes et l'idée de soumission. La plupart de ces interprétations ont leur source dans les passages bibliques que nous venons de voir. Que dit vraiment la Bible? Il peut être utile de considérer ce qu'elle ne dit pas, afin de découvrir ce qu'elle dit vraiment.

La Bible ne dit pas que les femmes soient les seules à devoir se soumettre.

Paul, dans le passage même où il dit aux femmes de se soumettre à leur mari (Ephésiens 5:22), exhorte tous les chrétiens à se «soumettre les uns les autres dans la crainte de Christ» (Ephésiens 5:21). Ceci doit être le principe universel que tous les membres du corps de Christ doivent observer, y compris les femmes vis-à-vis de leur mari et vice versa. Dans ses épîtres aux Corinthiens, Paul a élargi ce concept de soumission mutuelle aux relations intimes dans le mariage: «Que le mari rende à sa femme ce qu'il lui doit, et de même la femme à son mari. La femme n'a pas autorité sur son propre corps, mais c'est le mari; et, pareillement, le mari n'a pas autorité sur son propre corps, mais c'est la femme. Ne vous privez pas l'un de l'autre, si ce n'est momentanément d'un commun accord, afin d'avoir du temps pour la prière: puis retournez ensemble, de peur que Satan ne vous tente par votre incontinence» (1 Corinthiens 7:3-5).

La Bible ne dit pas que les femmes ne devraient jamais parler dans l'Eglise.

Dans l'épître de Paul aux Colossiens, nous voyons de quelle manière doit fonctionner le corps et comment les membres de ce corps doivent agir: «Que la parole de Christ habite en vous avec sa richesse, instruisez-vous et avertissez-vous réciproquement, en toute sagesse, par des psaumes, des hymnes, des cantiques spirituels; sous (l'inspiration de) la grâce, chantez à Dieu de tout votre cœur» (Colossiens 3:16).

Il apparaît clairement dans ce passage qu'il appartient à tous les membres du corps de Christ, hommes et femmes, «de s'instruire et de s'exhorter les uns les autres»; aucune exception n'y est mentionnée. Cela ne contredit-il pas ce que Paul a déclaré par ailleurs, à savoir que les femmes étaient tenues de garder le silence dans les assemblées?

Le problème semble se résoudre lorsque nous

considérons à la fois l'enseignement et le silence comme des fonctions qui s'expriment de façon différente. Il est important de remarquer que la Bible définit souvent la fonction sans en décrire la forme, mais nous ne devons pas oublier qu'il ne peut y avoir de fonction sans forme. Par conséquent, bien que la Bible ne décrive pas les formes que les Corinthiennes et les Ephésiennes utilisaient, ces formes n'en existaient pas moins.

Il est évident que certaines femmes dans ces Eglises du Nouveau Testament, et en particulier dans l'Eglise de Corinthe, utilisaient des formes diverses d'enseignement et d'expression pour dominer les hommes et semer la confusion parmi les membres du corps de Christ. Elles usurpaient le pouvoir dans l'Eglise, violant ainsi les principes de soumission divins concernant les relations spéciales des femmes à l'égard des hommes. En fait, les formes qu'elles utilisaient créaient tant de confusion, de dérangement et de désordre que Paul dut leur dire que, si des non-croyants entraient dans leur assemblée, ils penseraient avoir affaire à des fous (1 Corinthiens 14:23).

Lorsque Paul parla de ce problème à Corinthe et à Ephèse, il ne fait aucun doute que les chrétiens qui s'y trouvaient savaient pertinemment à quoi Paul faisait allusion. Ils savaient très bien comment interpréter le mot silence, alors que si nous lui donnons sa signification littérale qui est une non-émission de sons, nous arriverons à des raisonnements absurdes.

Mais, d'un autre côté, le concept de «ne pas avoir autorité sur les hommes» est le principe supraculturel qui ressort de ces différents passages de l'Ecriture. Il est, en fait, très possible à tous les membres du corps de Christ, suivant les recommandations de Paul aux Colossiens, de «s'instruire et de s'exhorter les uns les autres» en utilisant des formes qui ne violent pas le principe de soumission de Dieu, de même qu'il est possible aux hommes de se soumettre à leur femme sans abandonner leur rôle de chef.

La Bible ne dit pas que les femmes sont des citoyens de seconde classe.

C'est là où nous voyons que le christianisme, bien interprété, a élevé la femme à une position inégalée dans la plupart des autres sociétés et groupes religieux. Tout d'abord, la Bible préconise une égalité totale dans nos relations avec Dieu. Même Paul, que l'on pourrait, en l'interprétant mal, aisément taxer de misogynie, déclare sans équivoque possible: «Car vous êtes tous fils de Dieu par la foi en Christ-Jésus: vous tous, qui avez été baptisés en Christ, vous avez revêtu Christ. Il n'y a plus ni Juif ni Grec, il n'y a plus ni esclave ni libre, il n'y a plus ni homme ni femme, car vous tous, vous êtes un en Christ-Jésus» (Galates 3:26-28).

Dieu ne voit donc pas de différence entre les hommes et les femmes dans le domaine spirituel. C'est la raison pour laquelle Jésus a dit qu'il n'y aurait pas de mariages dans les cieux (Marc 12:25). Il n'y aura pas de distinction de sexes. Puisqu'en ce moment même, Dieu nous voit à travers Christ comme si nous étions déjà glorifiés (Romains 8:30), nous devons vraisemblablement en conclure que les hommes et les femmes sont spirituellement égaux aux yeux de Dieu.

D'un autre côté, la Bible reconnaît que tant que nous sommes sur la terre, nous ne sommes pas encore glorifiés. Nous vivons toujours dans ces corps d'argile dans un monde contaminé par le péché. Tous ceux qui considèrent objectivement les deux sexes doivent distinguer certaines différences entre les deux, bien plus complexes que les différences évidentes qui apparaissent dans notre physiologie et notre aspect extérieur.

La Bible le reconnaît aussi. En fait, dans ce même passage où l'apôtre Pierre rappelle au lecteur que les femmes sont les égales des hommes dans le domaine spirituel, (il dit d'ailleurs d'une chrétienne qu'elle est «cohéritière de la grâce de la vie», 1 Pierre 3:7), il exhorte aussi les hommes à vivre chacun avec leur femme en reconnaissant que les femmes sont des être plus faibles (1 Pierre 3:7).

A cet énoncé, certaines femmes réagissent vivement, et cela se comprend. Tout au long de l'histoire, les femmes ont souvent été l'objet d'abus ou de mépris, même au sein de communautés dites chrétiennes. Mais, dans ce passage, Pierre note un simple fait: de par la création, les femmes ne sont pas aussi fortes que les hommes. Elles sont limitées physiquement. Bien qu'elles soient très capables de travailler dur dans bien des domaines, et qu'elles ne soient pas plus faibles intellectuellement, la majorité des femmes ne sont pas capables de se mesurer aux hommes dans des matchs de football professionnel. Il y a certaines limites que la plupart des femmes ne peuvent dépasser, et ceci selon le plan de Dieu. C'est ainsi que Pierre exhorte les maris: «Vous de même, maris, vivez chacun avec votre femme en reconnaissant que les femmes sont des êtres plus faibles. Honorez-les comme cohéritières de la grâce de la vie, afin que rien ne fasse obstacle à vos prières» (1 Pierre 3:7).

La Bible ne dit pas que les femmes sont incapables d'accomplir des exploits.

Ceci est évident. Il n'y a qu'à regarder l'histoire et la vie contemporaine pour voir que le monde est rempli d'exemples de femmes célèbres dont les exploits ont dépassé de loin ceux de nombreux hommes. Parmi nos meilleurs artistes, nos musiciens, nos écrivains, nos savants, nos dirigeants, nos reporters, il y a beaucoup de femmes.

Paul lui-même a cité l'exemple de femmes ayant eu des ministères tout à fait inhabituels pour l'époque du Nouveau Testament. Bien qu'il ait eu à mettre en garde Evodie et Syntyche à propos des conflits qui s'élevaient entre elles, il nous fait également part du rôle que ces deux femmes ont joué auprès de lui dans le ministère (Philippiens 4:2-3). Nous pensons aussi bien sûr, à Prisca et Aquilas qui se détachent du Nouveau Testament comme formant un excellent couple qui servait le Seigneur ensemble (Romains 16:3-4; 1 Corinthiens 16:19).

Nous dirons aussi que la plus grande réalisation de la femme a été la contribution qu'elle a apportée à l'homme. Ce n'est maintenant plus un axiome de dire que «dans l'ombre d'un grand homme se tient une grande femme».

Au cours de ma propre existence, je ne veux pas dire que j'ai accompli des exploits, ce que j'ai réalisé, je le dois en grande partie à ma femme. Personne ne peut m'encourager comme elle le fait lorsque je suis abattu; ni restaurer ma confiance en moi lorsqu'elle est démolie; raviver mon esprit lorsque je suis déprimé; m'encourager à persévérer quand la route de la vie devient difficile.

Cela ne devrait pas vous surprendre. En fait c'est tout à fait logique, puisque c'est la raison principale pour laquelle Dieu a créé la femme, pour aider l'homme. Non, la Bible ne dit pas que la femme a été créée pour être la servante ou l'esclave de l'homme, mais plutôt pour l'aider, littéralement «une aide qui lui ressemble». Elle fut créée comme complément de l'homme, et à bien des égards comme son égal. Cependant, il lui faut reconnaître l'autorité de l'homme sur sa vie.

Paul exprime cet équilibre unique dans sa première épître aux Corinthiens. Après avoir dit très clairement que la femme fut créée pour l'homme (1 Corinthiens 11:9), il s'empresse d'ajouter: «Toutefois, dans le Seigneur, la femme n'est pas sans l'homme, ni l'homme sans la femme. Car de même que la femme a été tirée de l'homme, de même l'homme naît par la femme, et tout vient de Dieu» (1 Corinthiens 11:11-12).

La Bible ne dit pas que les femmes ne devraient jamais exprimer leurs pensées et leurs sentiments.

On voit certains chrétiens qui empêchent leurs femmes d'exprimer leurs sentiments, leurs frustrations, leurs craintes et leur colère. Tout différend se voit réfuté par l'autorité de l'Ecriture.

Cette pratique n'est pas du tout biblique, c'est un outrage pour la personnalité de la femme, et cela nuit à sa santé spirituelle et émotionnelle. C'est une violation directe de l'exhortation de Pierre, lorsqu'il demande aux maris de traiter leurs femmes «avec respect» et «en cohéritières» en Jésus-Christ. C'est aussi une violation directe de nombreuses ordonnances bibliques qui enjoignent à tous les chrétiens d'«user de prévenances réciproques» (Romains 12:10), de «se faire mutuellement bon accueil» (Romains 15:17), «de porter les fardeaux les uns des autres» (Galates 6:2), et de «se consoler les uns les autres» (1 Thessaloniciens 4:18). Paul expose très clairement dans son épître aux Corinthiens que tous les chrétiens doivent «avoir soin les uns des autres» (1 Corinthiens 12:25). Puis il ajoute: «Et si un membre souffre, tous les membres souffrent avec lui» (verset 26).

Le mari chrétien qui n'est pas sensible aux problèmes de sa femme, qui ne prend pas la peine d'écouter ses difficultés, qui ne prend pas part à sa peine physique ou émotionnelle, désobéit clairement à la volonté de Dieu. Il ne fait aucun doute qu'il utilise les Ecritures pour justifier sa personnalité faible et son attitude égoïste.

La Bible ne dit pas que la femme ne peut pas être active en dehors du foyer et même exercer une profession.

Certains chrétiens ont des vues très étroites sur ce sujet et insistent sur le fait que «la place de la femme est au foyer». J'admets que la Bible enseigne que pour une femme mariée, le foyer représente sa principale et première responsabilité. Répondre aux besoins de son mari et de ses enfants doit être sa première préoccupation après sa relation personnelle avec Dieu. Si elle néglige ces priorités, pour développer une carrière professionnelle ou gagner beaucoup d'argent, elle viole les enseignements de l'Ecriture. Paul est très clair sur ce point. Les femmes âgées, dit-il, doivent «apprendre aux jeunes femmes à aimer leurs maris et leurs enfants, à être sensées, chastes, occupées aux soins domestiques, bonnes, soumises chacune à son propre mari, afin que la parole de Dieu ne soit pas calomniée» (Tite 2:4-5).

Par ailleurs, forcer une femme à n'être qu'une femme d'intérieur, c'est aussi violer les principes bibliques. Certaines femmes sont tout à fait capables de remplir les priorités de la Bible tout en exerçant nombre d'autres activités. Prenons l'exemple de la «femme de valeur» décrite en Proverbes 31. Parmi toutes ses activités, nous voyons qu'elle «réfléchit à un champ», «l'acquiert», et que «du fruit de son travail, elle plante une vigne»; qu'elle «ouvre ses mains pour le malheureux» et «tend la main au pauvre» (Proverbes 31:16-20).

La Bible ne dit pas que les femmes doivent se soumettre aux abus physiques et psychologiques qu'elles ne peuvent supporter.

Il est malheureusement des femmes dont les maris sont tellement empreints d'égocentrisme et de méchanceté qu'il est pratiquement impossible de remédier aux problèmes que cette situation engendre. Rien n'y fait; les diverses tentatives de la femme à se soumettre ne font que renforcer l'emprise du mari qui en profite encore davantage. Il va sans dire qu'un tel homme est spirituellement et psychologiquement malade. C'est là que l'épouse chrétienne a besoin de chercher conseil et aide auprès des anciens et du pasteur de l'Eglise. Elle ne peut porter seule ce fardeau (Matthieu 18:15-17; Jacques 5:13-16). En traversant de telles épreuves, elle a besoin que les membres mûrs du corps de Christ l'aident.

Mais attention! Certaines épouses se complaisent à se justifier et à se faire passer pour des martyres, alors qu'en réalité elles n'obéissent pas à la Parole de Dieu. Elles ont défini le terme «soumission» d'une manière tout à fait personnelle, faisant abstraction de la véritable définition donnée par Dieu. Là encore, des membres mûrs du corps de Christ peuvent les aider à considérer leurs problèmes avec objectivité. Si la situation est absolument insupportable, la femme peut être amenée à s'en éloigner, toujours avec l'espoir de voir l'attitude et le comportement de son mari changer.

Que veut donc dire Dieu lorsqu'Il déclare que les femmes doivent se soumettre à leurs maris? En deux mots, pour se conformer à la volonté de Dieu, chaque femme doit comprendre que le Dieu de l'univers a spécialement créé la femme pour l'homme. Elle était destinée à l'aider, à compléter sa personnalité, et dans certains domaines à lui donner une force qu'il ne possède pas. Avant la chute, la qualité de chef de famille était tellement liée à celle d'égalité qu'il était difficile de les séparer. Mais le péché est venu changer tout cela, affectant ainsi l'homme et la femme. Il fallait développer et donner plus d'importance au rôle de chef de famille et insister sur l'état de soumission, à cause de la perversion qui régnait.

Christ peut restaurer les relations malades. Un couple chrétien a la possibilité d'atteindre un degré d'unité qui ne cesse de croître et de revêtir jour après jour un sens toujours plus profond. L'égalité spirituelle est totale, mais en ce qui concerne la fonction, l'homme représente la tête et la femme doit se soumettre à son autorité. Bien sûr, le péché subsiste, même après la conversion. Mais si le mari et la femme remplissent en Christ le rôle que Dieu a instauré, ils pourront avoir un avant-goût du ciel sur cette terre. C'est une voie à double sens, et dans le chapitre suivant nous verrons plus en détail ce que veut dire pour les maris, aimer comme Jésus aime.

Le dilemme du vingtième siècle

Comment se fait-il qu'aujourd'hui tant de femmes aspirent à l'émancipation? Pourquoi un si grand nombre d'entre elles, insatisfaites de leur rôle, cherchent-elles par tous les moyens à obtenir l'égalité dans tous les domaines? La raison principale de ce phénomène est le péché. En entrant dans le monde, le péché nous a non seulement affectés chacun en particulier, mais il a aussi affecté le monde dans lequel nous vivons.

Premièrement, chez les non-chrétiens, les hommes ont depuis longtemps la réputation d'utiliser les femmes à leurs propres fins. A l'époque actuelle, nous voyons se développer une philosophie «playboy» qui considère les femmes comme des jouets, de vulgaires objets servant à assouvir les désirs. Il n'est donc pas surprenant que la plupart des femmes intelligentes objectent à de telles philosophies égoïstes. Aujourd'hui, plus que jamais, on emploie les femmes à des fins matérielles. La sexualité aide à tout vendre et les femmes sont les premières victimes de ces abus. Il ne serait donc pas surprenant, je le répète, que les femmes réagissent à des procédés aussi égoïstes.

Les femmes réagissent donc à l'égoïsme du sexe male qui imprègne toute la société dans laquelle nous vivons. Elles sont souvent traitées en êtres inférieurs incapables de tenir certains rôles. On les a souvent «laissées à leur place» parce que les hommes redoutaient leurs aptitudes. Rien de surprenant donc à ce que les femmes ne se laissent pas tromper par de telles manifestations d'égoïsme.

Vers qui peuvent se tourner ces femmes? Où donc puisent-elles leur autorité pour agir ainsi? Malheureusement, la plupart des femmes rejettent ou ne possèdent pas la perspective biblique sur le sujet. Poussées par la même nature pécheresse que l'homme, elles cherchent à se libérer sans tenir compte des principes divins. Elles ne comprennent pas que sans Jésus-Christ, elles ne pourront jamais connaître la vraie liberté. Elles se lancent au hasard dans une direction, puis dans une autre. Ne nous étonnons donc pas si le monde est plein d'êtres frustrés, qui font des efforts sincères, mais ne peuvent découvrir les voies de Dieu ni le secret de ce à quoi ils aspirent

Deuxièmement, il y a aussi des chrétiennes qui éprouvent ces sentiments de frustration. Là encore, nous devons prendre conscience que chaque chrétien est encore la proie du péché. Nous tendons naturellement vers l'égoïsme et non vers l'abnégation. Malheureusement, il y a des hommes chrétiens qui, poussés par les mêmes sentiments d'égoïsme que les non-chrétiens, se servent des Ecritures pour parvenir à des fins égocentriques. Cette attitude peut faire beaucoup plus de mal à l'équilibre psychologique et moral de la femme, que si un non-chrétien se conduisait ainsi. Elle s'attend à cela chez un incroyant, mais elle ne peut pas l'accepter de la part d'un époux chrétien.

Mais il est évident que les femmes ont leurs torts. Elles aussi, comme tous les êtres humsins, résistent à l'autorité. En cela, nous sommes tous semblables. Il est difficile de se soumettre aux autres. C'est uniquement par la grâce et avec l'aide de Dieu que nous pouvons devenir ce que Dieu veut que nous soyons.

Troisièmement, il est bon de noter un autre facteur important qui rend l'adaptation de la femme difficile dans le rôle qu'elle a à jouer dans cette vie. Notre milieu culturel tout entier est responsable. Dans notre société, les jeunes filles reçoivent tout au long de leur scolarité, une orientation vers une carrière. Le rôle de femme au foyer est présenté sous une lumière moins favorable que l'attrait d'une carrière. Sur le plan psychologique, pratiquement toutes les femmes sont dirigées vers un but totalement étranger à celui que Dieu avait prévu. La leçon à en tirer pour chaque chrétien, c'est qu'il doit se montrer attentif à ce problème particulier aux femmes. Il est de taille et nous ne pouvons le mettre de côté. Le fait de rabaisser une femme ou de la «mettre à sa place» ne fera qu'aggraver la situation.

Chaque femme doit aussi reconnaître qu'elle a tendance à agir suivant le conditionnement reçu pendant ses années d'études. Mari et femme ont le devoir de faire face ensemble à ces problèmes, et en s'appuyant sur les principes chrétiens, de les résoudre de façon satisfaisante.

Examen de soi et suggestions

1. En tant que mari ou femme, mettez un moment à part pour analyser vos attitudes. Sont-elles conformes aux principes bibliques? En tant que femme, avez-vous bien compris votre rôle? Vous arrive-t-il parfois de réagir de façon excessive? En tant que mari, comprenez-vous votre femme? Son dilemme? Que faites-vous pour l'aider à devenir une femme soumise?

2. En tant que célibataire, quelle influence a le monde sur vous? Dans quelle mesure votre attitude présente reflète-t-elle un système de valeurs étranger à celui des Ecritures? Compensez-vous cette influence néfaste par les vrais enseignements de l'Ecriture? Souvenez-vous qu'avant de trouver le véritable bonheur dans le mariage, vous devez être pleinement libéré en Jésus-Christ.

Projets de famille ou de groupe

Parlez de ce chapitre en famille ou en petits groupes. Il faut commencer à inculquer dès aujourd'hui à vos enfants les principes concernant le mariage. Si les parents chrétiens ne présentent pas une alternative au système de valeurs du monde, personne ne le fera.

4
LE MARI CHRETIEN
et son rôle de chef de famille

Le terme «soumission» apparaît dans les Ecritures comme un mot-clef pour décrire les relations de la femme envers l'homme. On ne peut douter qu'il s'agit là d'un concept important dans l'esprit et le plan de Dieu, si vous croyez à l'inspiration de la Bible et au fait qu'elle représente exactement ce qu'Il a voulu nous dire.

Je reconnais que la soumission a, malheureusement, été très mal interprétée par les chrétiens et les non-chrétiens, à la maison comme dans l'Eglise. Il en est qui réservent uniquement ce mot aux femmes, ce que la Bible ne fait jamais, le terme étant aussi employé pour parler des relations de l'homme envers sa femme. En tant que chrétiens qui forment le corps de Christ, nous devons tous nous soumettre les uns aux autres (Ephésiens 5:21). Quand le mot «soumission» est employé pour définir exclusivement le rôle de la femme, ce terme implique alors souvent l'idée de «soumission dans tous les domaines», mais la Bible est loin de partager une telle idée.

Ces interprétations sont fausses. Il n'est pas bien non plus de vouloir se débarrasser du concept de soumission et de celui qui donne pleine autorité au mari, et ceci au nom de la culture et de l'influence néfaste qu'elle exerce sur certains auteurs bibliques, surtout l'apôtre Paul. Cette optique pose maints problèmes sur la fiabilité des Ecritures. C'est vrai que la compréhension des facteurs culturels est chose importante si l'on veut faire une étude exégétique de la Bible. Mais rejeter l'autorité du mari dans les liens du mariage est, semble-t-il, une tentative faite par certains pour interpréter la Bible à la lumière de mouvements en vogue dans le monde actuel, surtout le mouvement pour la libération de la femme. C'est aussi une réaction contre les idées extrémistes et malheureuses de certains chrétiens. Ils sont allés trop loin et, comme les extrémistes auxquels ils s'opposent, ils ont eux aussi, fait dire à la Bible ce que jamais elle n'a eu l'intention de dire. En fait, je ne pense pas qu'il soit nécessaire de rejeter le concept de «chef» au sens biblique si l'on veut bénéficier d'une relation égalitaire. Jésus-Christ nous a Lui-même laissé une indication importante en nous aidant à comprendre ce concept exceptionnel: Il a lavé les pieds des disciples pour démontrer Son humilité. Par cet acte d'amour, Il nous a fait comprendre que le plus grand est aussi un serviteur (voir Jean 13:12-17).

Pour comprendre les relations entre maris et femmes telles qu'elles sont décrites dans l'Ecriture, nous devons avoir une compréhension globale de la Parole de Dieu. Dans le chapitre précédent, nous avons commencé à voir ce que la Bible enseignait sur la soumission, mais il ne nous est pas possible de saisir parfaitement le sens de ce concept biblique si nous ne comprenons pas bien le concept de direction. Le mariage est une voie à double sens, et vous ne pouvez définir les relations de femme à mari, sans avoir analysé celles de mari à femme.

La direction, ce qu'elle n'est pas

La Bible nous dit que le mari doit exercer le rôle de chef dans le mariage. Paul nous l'a clairement montré en rappelant aux femmes de se soumettre à leur mari comme au Seigneur. «Car le mari est le chef de la femme, comme Christ est le chef de l'Eglise» (Ephésiens 5:23).

Qu'est-ce que la direction? Qu'est-ce que Paul veut dire par là? Une fois de plus, il est utile de voir ce que la Bible ne veut pas dire, avant de voir ce qu'elle veut dire.

La direction ne veut pas dire la dictature. Certains hommes, même parmi les chrétiens, utilisent ce concept de «chef» pour justifier les actes et attitudes autoritaires dont ils usent auprès de leurs femmes. Ils essayent de diriger leur famille à la manière d'un sergent-chef. Ils lancent des ordres, réclament une obéissance immédiate à leurs moindres caprices et opposent des arguments psychologiques ou même physiques à tout résistance. Ce n'est pas là la vraie direction, mais de l'enfantillage et de l'égoïsme. C'est tout le contraire de l'amour.

La position de chef ne garantit pas un respect automatique. C'est vrai que Dieu a confié à l'homme le rôle de chef de famille, mais ce n'est pas pour autant qu'il recevra automatiquement respect et honneur de sa femme et de ses enfants. Si une femme essaie de reconnaître la position d'autorité de son mari dans sa vie, elle éprouvera certaines difficultés au niveau des sentiments à accepter cette autorité si son mari ne la traite pas suivant l'exhortation de Pierre, «avec respect» (1 Pierre 3:7). Le respect engendre le respect. On peut dire en pratique qu'il se gagne, même si Dieu a Lui-même donné à l'homme cette position. La manière dont l'homme use de cette confiance détermine en grande partie si oui ou non, il est le chef respecté de sa maisonnée.

La position de «chef» ne signifie pas que le mari doive prendre toutes les décisions. Nulle part dans la Bible il n'est dit que l'homme doive être le seul à prendre les décisions au sein du foyer. Bien que le concept de «chef» sous-entende une forme d'autorité, il n'implique pas que la femme soit incapable de prendre des décisions, ni qu'elle ne doive participer à ces décisions.

Nous nous étendrons davantage sur les applications pratiques de cette pensée un peu plus loin. A présent, la question qui se pose à nous est la suivante: *Quel sens la Bible donne-t-elle à ce concept de chef?* Comme pour la plupart des idées qui se dégagent de l'Ecriture, un regard attentif au texte et au contexte dans lesquels apparaît ce concept révèle la vraie nature et le sens de ce concept, l'idée de «chef» n'y fait pas exception.

La clé de la véritable signification biblique du concept de «chef» est le Christ. L'explication de Paul est très claire lorsqu'il dit: «Car le mari est le chef de la femme, comme Christ est le chef de l'Eglise» (Ephésiens 5:23). Et aussi, «Maris, aimez chacun votre femme, comme le Christ a aimé l'Eglise» (Ephésiens 5:25).

Le concept de «chef», analogie divine

Paul, lorsqu'il écrit aux chrétiens d'Ephèse à propos du concept de «chef» dans les relations conjugales, utilise une analogie exceptionnelle et dynamique, celle de Jésus-Christ et Sa relation avec l'Eglise. De même que Christ est le chef de l'Eglise, le mari est le chef de la femme. De même que Christ a aimé l'Eglise, le mari doit aimer sa femme!

L'analogie, ses limites. Lorsqu'on utilise une analogie pour communiquer une idée (comme Paul le fait dans Ephésiens 5), son premier but est d'expliquer d'une façon plus claire la signification d'une idée ou d'un concept. Le concept que Paul expliquait aux chrétiens d'Ephèse insistait sur le sens véritable de la direction au sein du ménage. Son analogie était celle de Christ et de l'Eglise.

La définition courante du mot «analogie» dans le dictionnaire est «le rapport entre deux ou plusieurs choses qui présentent quelque communauté de caractères» ou bien «le rapport, la similitude d'une chose avec une autre». En d'autres termes, aucune analogie, aussi effective soit-elle, ne peut communiquer toute l'idée que l'on veut exprimer. Si vous voulez l'appliquer dans tous les cas, vous parviendrez à une interprétation erronnée, ou dans certains cas, vous vous trouverez dans une situation impossible.

Cela est vrai de l'analogie de Paul dans Ephésiens 5. Ses limitations apparaissent tout de suite de façon évidente lorsqu'on a bien compris que Christ était le chef de Son Eglise et qu'Il l'aimait.

En premier lieu, Christ avait (et a toujours eu) une autorité absolue. Comme Paul l'explique aux Colossiens, Christ «est l'image du Dieu invisible, le premier-né de toute la création. Car en lui tout a été créé dans les cieux et sur la terre, ce qui est visible et ce qui est invisible, trônes, souverainetés, principautés, pouvoirs. Tout a été créé par lui et pour lui. Il est avant toutes choses, et tout subsiste en lui» (Colossiens 1:15-17).

Dans le contexte même de la description de l'autorité absolue de Christ sur toute la création, Paul poursuit en mentionnant sa position de «chef» ou tête: «Il est la tête du corps, de l'Eglise. Il est le commencement, le premier-né d'entre les morts, afin d'être en tout le premier» (verset 18).

L'analogie de Paul ne peut pas bien entendu, se rapporter au mari chrétien qui, comme Christ, aurait alors une autorité absolue. C'est vrai qu'il a été investi d'autorité, mais encore faut-il être prudent dans l'interprétation de cette autorité et la définir à la lumière des limitations que Dieu a placées dans d'autres passages de Sa Parole pour l'homme.

En second lieu, Christ était parfait dans Ses attitudes et dans Ses actes. Il n'a jamais péché. Bien qu'Il fût réellement un homme, Son amour pour nous n'a jamais été terni de faiblesse humaine. Il n'a jamais cédé à l'égoïsme, bien qu'Il ait été tenté de le faire, ni à la convoitise, ni à la grossièreté, ni à l'orgueil, ni à la colère gratuite. Jamais Il n'a permis à ces sentiments de se manifester par des attitudes ou un comportement qui auraient reflété l'iniquité. Bien qu'Il ait été «tenté comme nous à tous égards», Il n'a pas commis de péché (Hébreux 4:15). Il était véritablement Dieu sous une forme humaine.

L'analogie de Paul donc, comme toutes les analogies, présente certaines limitations. Aucun homme ne possède une autorité absolue et n'est sans péché. Que veut donc dire Paul?

L'analogie, son véritable sens. Bien qu'en aucun cas, l'homme ne puisse être et agir absolument comme Jésus, Dieu a tout de même donné la possibilité à chaque chrétien de devenir de plus en plus conforme à l'image de Christ (voir 2 Corinthiens 3:18). C'est le plan de Dieu. Il est notre exemple divin. Son Esprit, œuvrant au travers de la Parole de Dieu et d'autres membres du corps de Christ, est la source divine de notre puissance, de notre encouragement et de nos possibilités. Il est en vérité possible d'imiter Jésus, bien que nous ne pourrons jamais Lui ressembler en tout, même dans l'éternité.

C'est bien sûr ce que croyait Paul. S'il ne l'avait pas cru, il n'aurait jamais enseigné aux Corinthiens d'imiter la vie de Christ comme lui-même l'a fait (1 Corinthiens 11:1). Il n'aurait pas non plus exhorté les Ephésiens à être «les imitateurs de Dieu» et à «marcher dans l'amour, de même que le Christ nous a aimés et s'est livré lui-même à Dieu» (Ephésiens 5:1-2). D'une manière plus spécifique et directement en rapport avec le sujet que nous traitons, il n'aurait pas recommandé aux maris chrétiens d'Ephèse d'aimer leurs femmes «comme le Christ a aimé l'Eglise et s'est livré lui-même pour elle» (Ephésiens 5:25).

Il est donc possible pour les maris chrétiens d'aimer comme Christ a aimé, non pas dans toute la plénitude de la valeur de ce concept mais autant qu'il est humainement possible de le faire, nanti du pouvoir émanant de Dieu qui est donné à la conversion et par la croissance spirituelle. Bien qu'il nous arrivera toujours, dans une certaine mesure, de manquer à nos devoirs et de pécher contre nos femmes, nous pouvons et nous devons faire des progrès dans cette expérience merveilleuse ordonnée par Dieu.

Attitudes et actions à l'image de Christ

Comment un mari chrétien peut-il aimer sa femme comme Christ a aimé l'Eglise? Comment doit-il être et que doit-il faire? Pour être conforme à la volonté de Dieu, quelles doivent être les caractéristiques de ses attitudes et de son comportement?

Paul nous donne un résumé succinct des réponses à ces questions dans son épître aux Philippiens. Là encore nous voyons le parallèle qui existe entre le foyer et l'Eglise, car dans Philippiens 2, Paul s'adresse de manière générale à chaque membre du corps de Christ.

Tout d'abord, Paul nous exhorte d'une manière spécifique: «Ne faites rien, dit-il, par rivalité ou par vaine gloire, mais dans l'humilité, estimez les autres supérieurs à vous-mêmes. Que chacun de vous, au lieu de considérer ses propres intérêts, considère aussi ceux des autres» (Philippiens 2:3-4).

Puis, afin de bien se faire comprendre, Paul utilise la même analogie que dans Ephésiens 5, Christ et l'Eglise. «Ayez en vous, dit-il la pensée qui était en Christ-Jésus» (Philippiens 2:5). Mais, à mesure qu'il développe cette idée, Paul devient plus précis que dans Ephésiens 5. Il dicte littéralement quelle devrait être notre attitude.

Une attitude d'abnégation. «Ayez en vous la pensée qui était en Christ-Jésus, lui dont la condition était celle de Dieu, il n'a pas estimé comme une proie à arracher d'être égal avec Dieu» (Philippiens 2:5-6). Autrement dit, Christ ne s'est pas accroché à la position céleste qu'Il avait avec le Père, mais accepta de la mettre de côté pour venir dans ce monde, qu'Il créa. Ainsi en se faisant chair, Il s'identifia à notre condition de pécheurs, sans toutefois tomber Lui-même dans le péché. Il renonça aussi pour un temps à la gloire céleste pour vivre parmi les hommes, faisant ainsi preuve d'une abnégation inégalée dans ce monde.

Une attitude d'humilité (voir Philippiens 2:7). Christ, dont «la condition était celle de Dieu», s'est volontairement dépouillé. Lui, qui créa toutes choses, mit de côté pour un temps Sa gloire céleste. Lui, qui était et qui est Dieu, prit «la condition d'esclave». Lui, qui a créé l'homme, s'est rendu «semblable aux hommes». Nous voyons là l'humilité personnifiée dans toute sa grandeur.

Une attitude de sacrifice et de don de soi. Jésus-Christ a fait preuve du plus grand acte d'amour jamais connu dans toute l'humanité. «Après s'être trouvé dans la situation d'un homme, il s'est humilié lui-même en devenant obéissant jusqu'à la mort, la mort sur la croix» (Philippiens 2:7-8). Jésus-Christ est mort afin que nous puissions avoir la vie. Puisque le péché de l'homme entraînait la peine de mort, Christ est mort pour chaque homme, même pour ses ennemis: Lorsqu'Il fut cloué au bois, c'est ainsi qu'Il déclara: «Père, pardonne-leur, car ils ne savent pas ce qu'ils font» (Luc 23:34).

De l'analogie à l'action

L'analogie de Paul, dans son épître aux Philippiens, est une démonstration et une élaboration puissantes de la pensée de l'apôtre lorsqu'il exhorte les maris à «aimer comme Christ a aimé».

Une attitude d'abnégation. De même que Jésus, un mari chrétien ne devrait pas s'accrocher à l'autorité qu'il détient et s'en servir comme d'une arme pour obtenir ce qu'il veut. Quelquefois il se trouve dans l'obligation de prendre des décisions et d'émettre des jugements qui vont rencontrer une forte résistance et même provoquer de la peine, mais il doit toujours user de son autorité pour le bénéfice de son épouse et de ses enfants. Comme Paul l'a écrit aux Colossiens, il ne doit pas «s'aigrir» contre sa femme (Colossiens 3:19), ni «décourager» ses enfants (Colossiens 3:21). Tout ce qu'il fait doit être accompli dans le dessein de protéger sa femme, de l'aider dans sa croissance personnelle. La vision de Christ pour l'Eglise est «de la sanctifier après l'avoir purifiée par l'eau et la parole, pour faire paraître devant lui cette Eglise glorieuse, sans tache, ni ride, ni rien de semblable, mais sainte et sans défaut. De même, continue Paul, les maris doivent aimer leur femme comme leur propre corps. Celui qui aime sa femme s'aime lui-même» (Ephésiens 5:28).

Une attitude d'humilité. Bien que Dieu ait donné à l'homme le rôle de chef de famille et qu'Il l'ait investi d'autorité, ce dernier doit bien comprendre qu'il est aussi un serviteur. Jamais il ne doit dominer sur sa femme, se servant de son ego mâle pour excuser son insensibilité et son attitude défensive qui n'est qu'une protection.

De plus, il doit s'identifier à sa femme: ses peines, ses problèmes affectifs, ses luttes, ses faiblesses, ses soucis, ses tensions nerveuses. N'oubliez pas que l'amour de Christ L'a poussé à s'identifier à nous. Aimer sa femme comme Christ a aimé l'Eglise signifie s'identifier à elle. En fait, Pierre a laissé aux maris chrétiens la plus grande de toutes les recommandations: «Vous de même, maris, vivez chacun avec votre femme en reconnaissant que les femmes sont des êtres plus faibles. Honorez-les comme cohéritières de la grâce de la vie, afin que rien ne fasse obstacle à vos prières» (1 Pierre 3:7). Cette déclaration de Pierre est claire, elle ne soulève pas de question. Il nous faut nous identifier à leurs faiblesses, nous devons les comprendre et les exhorter. Pierre pense également que les prières de certains hommes peuvent ne pas recevoir de réponses parce qu'ils n'ont pas «aimé leurs femmes comme Christ a aimé l'Eglise».

Combien il est désolant d'entendre les gens en conclure que Dieu est contre les femmes, qu'Il est injuste et que l'enseignement de Paul en particulier donne libre accès à l'insensibilité des hommes et à une autorité incontrôlée de leur part. On trouve hélas, des chrétiens qui sont insensibles à tout cela à cause du péché. «Mais, dit le Seigneur, je ne répondrai pas à leurs prières.» C'est pour Dieu le meilleur moyen de contrôler l'autorité de l'homme.

Une attitude de sacrifice et de don de soi. C'est là l'un des aspects les plus complexes de l'analogie de Paul. Lorsqu'il en arrive à la notion de sacrifice, la plupart d'entre nous opèrent à un niveau assez superficiel. Presque tout ce que nous faisons a un motif égoïste. On pourrait croire, au premier abord, que c'est pour notre conjoint, mais lorsque nous regardons d'un peu plus près dans les profondeurs de notre nature psychologique, nous apercevons une personne qui ne nous plaît pas beaucoup.

Il est intéressant de voir que Paul semble reconnaître qu'il s'agit là d'une faiblesse humaine qui se trouve en chaque homme (et chaque chrétien), une faiblesse qu'il est difficile de conquérir, à moins de réorienter notre tendance égoïste. C'est ainsi qu'il déclare: «De même, les maris doivent aimer leur femme comme leur propre corps. Celui qui aime sa femme s'aime lui-même. Jamais personne, en effet, n'a haï sa propre chair; mais il la nourrit et en prend soin, comme le Christ le fait pour l'Eglise, parce que nous sommes membres de son corps» (Ephésiens 5:28-30).

Examen de soi et suggestions

Dans son épître aux Philippiens, Paul exhortait tous les chrétiens à adopter trois attitudes de base: (1) l'abnégation, (2) l'humilité, (3) l'esprit de sacrifice et le don de soi. Examinez votre propre vie pour déterminer si ces qualités y règnent. Pouvez-vous «aimer comme Christ a aimé»? Cochez ce qui décrit le mieux votre genre de vie.

Remarque: si vous êtes marié, vous pouvez vous concentrer sur la relation avec votre femme.

I. Abnégation:
- ☐ Pas égoïste
- ☐ Plus désintéressé qu'égoïste
- ☐ Plus égoïste que désintéressé
- ☐ Egoïste

II. Humilité:
- ☐ Doux et humble
- ☐ Plus doux qu'arrogant
- ☐ Plus arrogant que doux
- ☐ Fier et arrogant

III. Esprit de sacrifice:
- ☐ Esprit de sacrifice
- ☐ Davantage un esprit de sacrifice qu'un esprit d'égocentrisme et d'égoïsme
- ☐ Davantage un esprit d'égocentrisme et d'égoïsme qu'un esprit de sacrifice
- ☐ Esprit d'égocentrisme et d'égoïsme

Projets de famille ou de groupe

Faites passer ce test à chacun des membres de votre famille (ou de votre groupe) après avoir revu ce chapitre. Ensuite priez ensemble, demandant à Dieu de vous aider à devenir quelqu'un d'aimable et à ôter de votre personnalité les aspects qui ne sont pas conformes à l'image de Christ.

Remarque: Pour un projet intime mari-femme, examinez chacun de votre côté vos sentiments à l'égard de l'autre, puis communiquez vos impressions.

Attention! Soyez prêt à affronter des vérités qui peuvent vous blesser. Ces révélations peuvent vous aider à transformer votre vie.

5
LES ENFANTS CHRETIENS
et l'obéissance

Dans un monde où la majorité des gens a tendance à en faire à sa guise, l'obéissance n'est pas bien acceptée, mais cela ne devrait pas nous surprendre. Il a, en effet, toujours été difficile d'obéir. Depuis que Dieu a créé l'homme, l'obéissance est un problème. Déjà avant que le péché n'entre dans le monde, l'homme était capable de désobéir, et il l'a fait! C'est Eve qui, la première, a désobéi à Dieu; Adam a suivi de près. Leur acte de désobéissance a plongé toute l'humanité dans le péché, un acte qui a sérieusement affecté chaque être humain depuis ce jour. Si Adam et Eve ont choisi de désobéir à Dieu avant la chute, il ne devrait pas nous surprendre que le problème de la désobéissance se soit aggravé après la chute.

Comme nous l'avons vu dans les chapitres précédents, l'entrée du péché dans le monde a sérieusement éprouvé les relations familiales. En règle générale, soumission et amour étaient des concepts tout à fait inconnus des familles païennes. L'égoïsme, l'arrogance, l'égocentrisme régnaient dans le cœur des hommes et des femmes. C'est ainsi que Paul, écrivant aux chrétiens d'Ephèse, s'adressait à la fois aux femmes et aux maris chrétiens, les exhortant à «ne plus marcher comme les païens» (Ephésiens 4:17). Devenant plus spécifique, il demande aux femmes de «se soumettre chacune à son mari comme au Seigneur» (Ephésiens 5:22), et aux maris «d'aimer chacun sa femme, comme le Christ a aimé l'Eglise» (Ephésiens 5:25).

Mais l'entrée du péché dans le monde a aussi affecté d'autres relations qui existent dans presque toutes les familles: par exemple la relation entre les enfants et les parents. C'est à cela que Paul se réfère directement dans son épître aux Romains. L'apôtre parle en premier lieu, d'une manière générale, des effets destructeurs du péché dans la vie de chaque individu: «Ils sont remplis de toute espèce d'injustice, de méchanceté, de cupidité, de perfidie; pleins d'envie, de meurtre, de discorde, de fraude, de vice; rapporteurs, médisants, impies, emportés, orgueilleux, fanfarons, ingénieux au mal» (Romains 1:29-30).

Puis, tout de suite après, Paul décrit les effets du péché sur les relations entre enfants et parents. Parlant des enfants, Paul nous dit qu'ils sont «rebelles à leurs parents, sans intelligence, sans loyauté, sans affection, (sans indulgence), sans pitié» (Romains 1:30-31).

De nombreuses familles païennes qui, au temps du Nouveau Testament, se convertirent à Jésus, répondaient aux caractéristiques citées par Paul dans ce passage tiré de l'épître aux Romains. Les chrétiens d'Ephèse ou de Colosses n'échappaient pas à cette description (voir Ephésiens 4:17-24; Colossiens 3:5-11). Paul non seulement donnait des instructions aux maris et aux femmes concernant les nouvelles relations qui devaient s'établir entre eux, mais il exhortait également les enfants à changer d'attitude vis-à-vis de leurs parents: «Enfants, obéissez à vos parents (selon le Seigneur), car cela est juste. Honore ton père et ta mère, c'est le premier commandement accompagné d'une promesse, afin que tu sois heureux et que tu vives longtemps sur la terre» (Ephésiens 6:1-3). De même aux Colossiens, Paul a dit: «Enfants, obéissez en tout à vos parents, car cela est agréable dans le Seigneur» (Colossiens 3:20).

Paul énumère quatre raisons pour lesquelles les enfants doivent obéir à leurs parents. Cependant, avant d'aborder ces quatre raisons, je tiens à vous signaler que dans ce passage, la traduction du mot «enfants» n'inclut pas les petits enfants. Paul parlait ici des adolescents, des enfants assez mûrs pour être responsables de leurs actes. Une raison évidente est que Paul dans sa lettre a directement adressé ses commentaires aux enfants, convaincu qu'ils étaient en âge de comprendre très clairement ses ordres.

Ensuite, le mot grec qui veut dire enfants, *teknon* est très fréquemment employé dans le Nouveau Testament pour désigner la descendance en général. Le contexte dans lequel ce mot apparaît laisse très bien entendre qu'il s'agit d'enfants plus âgés. En fait, dans certains cas, il est évident que Paul parle de grands enfants, d'enfants adultes.

Il est important de le noter. Beaucoup de chrétiens utilisent mal certains de ces versets qui se rapportent aux adolescents et à de jeunes adultes, en essayant de former et de discipliner de jeunes enfants qui ne sont pas encore prêts à appliquer ces règles. Cela conduit souvent à de graves problèmes de comportement, rendant l'obéissance encore plus difficile pour l'enfant à mesure qu'il grandit. (Nous nous étendrons davantage sur ce sujet au chapitre 8).

Voyons maintenant les raisons pour lesquelles les enfants doivent obéir à leurs parents et les honorer, selon Paul.

Raisons doctrinales

Les deux premières raisons que Paul donne pour l'obéissance dans son épître aux Ephésiens, reposent sur des vérité doctrinales.

Parce que vous êtes chrétiens (voir Ephésiens 6:1). Je pense que c'est ce que Paul veut dire lorsqu'il déclare: «Obéissez à vos parents selon le Seigneur». D'autres versions de la Bible disent: «Obéissez à vos parents à cause du Seigneur». Dans son épître aux Colossiens, Paul précise encore davantage sa pensée lorsqu'il nous dit: «Enfants, obéissez en tout à vos parents, car cela est agréable au Seigneur».

Certains pensent que la déclaration de Paul dans son épître aux Ephésiens, signifie que les enfants ne devraient obéir que si leurs parents sont chrétiens, autrement dit lorsque les parents sont «dans le Seigneur». Ceci ne semble pas être une interprétation très juste. L'apôtre Paul n'exempte certes pas les enfants d'obéissance, sous le simple prétexte que leurs parents sont païens, de même qu'il n'exempte pas davantage les femmes de la soumission sous prétexte que leurs maris ne sont pas sauvés. De même que Pierre l'a fait dans son épître en écrivant aux épouses (voir 1 Pierre 3:1-6), Paul aurait probablement insisté sur l'importance de l'obéissance dans ces circonstances.

Cela ne peut être la véritable signification. Paul ne fait que répéter d'une façon succincte ce qu'il a déjà développé avant dans son épître alors qu'il s'adressait à tous les chrétiens. Puisque maintenant vous êtes chrétiens, dit-il, puisque vous avez une nouvelle position en Christ, puisque vous n'êtes plus obscurci dans votre intelligence ni «étrangers à la vie de Dieu» (Ephésiens 4:18), «vous avez été instruits à vous dépouiller à cause de votre conduite passée, de la vieille nature qui se corrompt par les convoitises trompeuses, être renouvelés par l'Esprit dans votre intelligence, et revêtir la nature nouvelle, créée selon Dieu dans un justice et une sainteté que produit la vérité» (Ephésiens 4:21-24). Paul devient très spécifique lorsqu'il déclare: «Que toute amertume, animosité, colère, clameur, calomnie, ainsi que toute méchanceté soient ôtées du milieu de vous. Soyez bons les uns envers les autres, compatissants, faites-vous grâce réciproquement comme Dieu vous a fait grâce en Christ» (Ephésiens 4:31-32).

En résumé, la première raison que Paul donne pour que les enfants obéissent à leurs parents, est leur position en Christ. Ils étaient «dans le Seigneur». Leur vie ne leur appartenait plus. Le précieux sang de Christ les avait rachetés, et avec leurs parents, ils faisaient partie d'une nouvelle famille, «la famille de Dieu».

Il est juste d'obéir à ses parents. «Enfants, obéissez à vos parents selon le Seigneur, écrit Paul, car cela est juste» (Ephésiens 6:1). Dans l'Evangile de Luc (2:41-51), nous trouvons avec Jésus alors âgé de douze ans, un excellent exemple d'obéissance aux parents. Comme chaque année, les parents de Jésus se rendaient à Jérusalem pour y célébrer la fête de Pâques. Puis lorsque la fête fut terminée, les parents prirent le chemin du retour avec leur famille et leurs connaissances, au bout d'une journée de voyage, ils s'aperçurent que Jésus ne se trouvait pas dans la foule. Sans tarder, ils retournèrent à Jérusalem où ils cherchèrent Jésus pendant trois jours avant de le trouver. Il parlait dans le temple avec les docteurs. Ses questions et ses réponses avaient un sens tellement profond qu'elles surprenaient ces hommes qui comprenaient et interprétaient pourtant très bien la loi de Moïse.

Les parents de Jésus, cela se conçoit, pendant

ce temps-là étaient dans tous leurs états (surtout Sa mère). Mais après que Marie L'ait, sous le coup de l'émotion, réprimandé, Jésus répondit par une entière obéissance.

Là encore, nous voyons par l'exemple de Jésus comment vivre en chrétien. Dans le chapitre précédent, nous avons parlé de Son abnégation, de Son humilité, du don de Sa personne dans Ses actes, car Il n'a pas hésité à renoncer à la gloire céleste pour se faire homme afin d'être le Sauveur du monde. Dans ce récit, nous Le voyons, à l'âge de 12 ans, malgré toute Sa sagesse et Ses connaissances, donner un exemple à toute la jeunesse pour qu'elle L'imite dans la voie de l'obéissance aux parents. Tout en sachant déjà pourquoi Il était venu dans le monde, et qu'Il était le Fils de Dieu, Il s'est soumis à l'autorité de Ses parents.

Il est juste d'obéir à ses parents. Le raisonnement de Paul est fondé sur l'exemple de Jésus-Christ.

Raisons d'intérêt personnel

Nous trouvons également quelques raisons d'intérêt personnel et très concrètes pour lesquelles les enfants doivent obéissance à leurs parents. Paul se réfère à l'un des Dix Commandements donnés par Dieu à Israël des années auparavant, lorsqu'ils se trouvaient au mont Sinaï dans le désert. «Honore ton père et ta mère, ce qui, dit Paul, est le premier commandement accompagné d'une promesse» (Ephésiens 6:2). Autrement dit, l'apôtre Paul fait remarquer aux jeunes d'Ephèse que l'obéissance aux parents est si importante aux yeux de Dieu, qu'Il a accompagné ce commandement d'une promesse, des avantages personnels pour ainsi dire.

Bien sûr, cette promesse fut d'abord destinée aux enfants d'Israël et comprenait des bénédictions spéciales pour Canaan. Mais Paul, parlant avec l'autorité du Saint-Esprit, généralisa cette promesse qui devait donner ces avantages personnels à tous les chrétiens qui obéissent à leurs parents.

Quels sont donc ces avantages?

«Afin que tu sois heureux» (Ephésiens 6:3). Il ne serait ni vrai ni juste de dire aux jeunes que s'ils obéissent à leurs parents, la vie leur sourira toujours. Paul ne leur donne pas une formule magique pour obtenir un bonheur parfait. L'expérience nous prouve que la plupart des enfants qui obéissent à leurs parents et les honorent se font un bien immense. Les parents qui répondent à l'obéissance de leurs enfants par la dureté et de plus grandes restrictions sont rares et bien cruels. C'est plutôt l'inverse qui se produit. L'obéissance et le respect engendrent la confiance et une plus grande liberté.

En d'autres mots, souhaitez-vous que vos parents vous fassent confiance? Alors, honorez-les et obéissez-leur. Voulez-vous être heureux? Alors, prouvez à vos parents que vous les aimez, que vous les appréciez, que vous voulez leur faire plaisir, et que vous voulez leur simplifier la vie. Rien n'est plus frustrant pour des parents que d'avoir à se battre contre leur propre chair, leur propre sang. Et de même, rien de plus frustrant pour un jeune que d'être en compétition constante avec ses parents. Paul dit que l'obéissance et l'honneur sont les clefs qui permettent de venir à bout de pareilles difficultés. Alors, faites-vous du bien et obéissez à vos parents! Vous leur rendrez service par la même occasion!

Il existe des exceptions à cette règle. De même qu'il y a des enfants égoïstes au point de ne pas répondre de manière positive à l'amour de leurs parents, de même il existe des parents qui manquent tellement de maturité dans le domaine spirituel et affectif qu'ils ne font que profiter des enfants qui leur obéissent et les honorent. Dans ces cas, la Bible n'enseigne pas l'obéissance inconditionnelle, pas plus qu'elle n'enseigne qu'une femme doive pour toujours être soumise à l'autorité d'un mari cruel et psychologiquement malade.

Nous trouvons dans la Bible l'enseignement et l'exemple suivants: «Il faut obéir à Dieu plutôt qu'aux hommes» (Actes 5:29). C'est la réponse que donnèrent les apôtres aux dirigeants religieux de Jérusalem qui leur ordonnaient de ne plus prêcher l'Evangile. Autrement dit, si le père ou la mère d'un enfant l'oblige à violer l'un des commandements de Dieu, c'est à Dieu que l'enfant doit choisir d'obéir d'abord. L'autorité de Dieu est plus grande que celle des parents.

Voici un conseil: Assurez-vous que ce qu'on exige de vous est bien une violation de la Parole de Dieu. Il est en effet aisé de justifier notre attitude lorsque nous voulons en fait en faire à notre guise. De plus, avant de désobéir à vos parents, demandez conseil à votre pasteur ou à d'autres chrétiens mûrs de votre Eglise si cela est possible. Demandez-leur ce que vous devriez faire. Les chrétiens adultes qui ne sont pas directement concernés par votre problème sont souvent à même de vous donner des conseils sages pour trouver une solution raisonnable. Voyez l'exemple suivant:

Un jeune homme voulait se faire baptiser, mais ses parents non-chrétiens s'y opposaient. Il vint me demander conseil. Avec sa permission, je téléphonai chez lui pour en parler à ses parents. C'est sa mère qui me répondit car son mari n'était pas là. Je lui fis bien comprendre que nous ne voulions pas pousser leur fils à désobéir à ses parents.

Puis, je lui parlai de la signification du baptême et lui offris mon aide pour établir une meilleure communication entre eux et leur fils.

Quelques jours plus tard, je reçus un coup de téléphone du père du jeune homme qui était revenu d'un voyage d'affaires. Sa femme lui avait bien sûr fait part de mon appel, et lui avait dit que je lui avais demandé la permission de faire baptiser son fils, et que je ne le ferais pas sans leur autorisation. Cette attitude changea complètement le cœur du père qui donna son accord.

En cas de difficulté, il est donc nécessaire que vous recherchiez l'aide et les conseils des membres mûrs du corps de Christ. C'est la responsabilité du pasteur d'aider les jeunes chrétiens qui ont des problèmes avec leurs parents. Si vos parents pèchent contre vous injustement, même si vous essayez d'avoir une attitude obéissante, les dirigeants de votre Eglise ont la responsabilité de vous aider à résoudre ce problème.

«Afin que tu vives longtemps sur la terre» (Ephésiens 6:3). Paul veut-il dire par là que tous les jeunes qui obéissent à leurs parents auront automatiquement une «longue vie»? Ce n'est pas systématique. Là encore, il ne s'agit pas d'une formule magique.

Il y a des gens qui vivent très, très longtemps sur cette terre tout en désobéissant à leurs parents. Mais comme ils ne tiennent pas compte des conseils de leurs parents, le reste de leur vie est triste et misérable. Pensez aux jeunes qui n'ont pas voulu écouter leurs parents avant de se marier, qui ont rejeté leurs conseils et se sont mariés avec quelqu'un qui n'était pas mûr, pas responsable et quelquefois même pas chrétien. Aujourd'hui ils sont divorcés, ont le cœur brisé et plein d'amertume. Et si le mariage tient toujours, ils s'acharnent à tirer le meilleur parti d'un mariage malheureux afin de ne pas violer une fois de plus la volonté de Dieu.

Il en est qui ont l'occasion de recommencer, mais d'autres ne pourront jamais oublier leur peine. D'autres font un second choix, pire encore que le premier. Malheureusement, il arrive fréquemment qu'une désobéissance importante entraîne la personne vers toute une série de mauvaises décisions et d'erreurs.

Voici une illustration pour vous montrer comment la désobéissance peut conduire au malheur plutôt qu'au bonheur; comment le fait de rejeter les conseils peut engendrer une longue vie de chagrin et de tristesse sur la terre. Certaines personnes sont si malheureuses qu'elles préfèreraient mourir.

La promesse de «vivre longtemps sur la terre» présente également un aspect littéral. Bien que le Seigneur ne garantisse pas une longue vie, Il insiste très clairement sur le fait que les enfants désobéissants peuvent écourter leur vie sur la terre par des actes stupides et irresponsables. Dans la culture du premier siècle, faire de mauvaises fréquentations menait facilement à la mort, et cela n'a pas changé au vingtième siècle. Tous les jours des jeunes meurent dans des accidents de voiture, de doses excessives de drogues ou pour d'autres raisons, tout cela parce qu'ils ont désobéi à leurs parents. Certains, bien qu'ils ne soient pas d'accord avec leurs amis, s'y trouvent innocemment mêlés à cause de leurs mauvaises fréquentations.

Aujourd'hui, on trouve des jeunes en prison qui n'ont pas appuyé sur la gâchette, et qui ne l'auraient jamais fait, mais parce qu'ils se trouvaient sur les lieux quand cela est arrivé, ils sont accusés de complicité.

Il y a des raisons concrètes pour l'obéissance aux parents. Cela a toujours été, à l'époque de Moïse comme à celle de l'apôtre Paul, et aujourd'hui dans les derniers jours. Comme le monde se rapproche du grand jour où Jésus reviendra, les enfants chrétiens devraient être des modèles d'obéissance aux parents.

«Sache que, dans les derniers jours, surgiront des temps difficiles, écrit Paul à Timothée. Car les hommes seront égoïstes, amis de l'argent, fanfarons, orgueilleux, blasphémateurs, rebelles à leurs parents. . . Eloigne-toi de ces hommes-là» (2 Timothée 3:1-5).

L'obéissance, une responsabilité chrétienne

L'exhortation que Paul fait en Ephésiens 6.1-3 s'adresse directement aux enfants. Mais, dans le Nouveau Testament, le concept d'obéissance ne s'applique pas exclusivement aux enfants, pas plus que celui de soumission est spécifiquement réservé aux femmes, et celui d'amour aux hommes. L'obéissance, ainsi que la soumission et l'amour, sont des concepts qui décrivent les attitudes et les actes de tous les membres du corps de Christ.

L'obéissance aux employeurs. Dans le passage même où Paul exhorte les enfants à obéir à leurs parents, il enseigne aux serviteurs à obéir à leurs maîtres «selon la chair avec crainte et tremblement, dans la simplicité de votre cœur, comme au Christ» (Ephésiens 6:5). Si vous appliquez ce verset à votre culture, cela signifie que vous devez obéissance à votre employeur. En tant que parents, n'exigez pas de vos enfants qu'ils vous obéissent si vous allez ensuite désobéir à votre employeur. Ce serait une contradiction et une atteinte à la volonté de Dieu. Lorsque votre employeur se montre injuste, vous disposez généralement, à l'heure actuelle, de moyens pour exprimer vos requêtes, mais il faut le faire avec bonne grâce

Si votre patron est odieux, mieux vaut encore changer de situation que d'aller contre la volonté du Seigneur. Ceci est, bien entendu l'une des bénédictions dont nous bénéficions actuellement dans notre pays. Les esclaves qui vivaient au premier siècle n'avaient pas ce choix. Ils n'avaient pas de comités de doléances.

L'obéissance aux autorités. Le chrétien a la responsabilité d'obéir aux autorités du pays. Paul le fait ressortir clairement dans Romains 13:1 et dans son épître à Tite: «Rappelle-leur d'être soumis aux gouvernements et aux autorités, d'obéir. . .» (Tite 3:1).

A notre époque, cela veut dire que nous devons faire preuve d'honnêteté en payant nos impôts, en respectant les limitations de vitesse, en nous arrêtant aux stops et en honorant les autres règlements du gouvernement, même si ces derniers ne nous plaisent pas. Il n'y a pas de place pour la violence et la rébellion dans le plan de Dieu pour les chrétiens. Nous pouvons certes faire appel à des moyens légaux pour obtenir un changement ce qui est une bénédiction de plus dans le monde occidental au vingtième siècle, mais nous ne devons surtout pas essayer de faire notre propre loi. La seule exception à cette règle, c'est lorsque l'on demande à un chrétien de faire quelque chose contre la volonté de Dieu.

Nous devons alors faire un choix, mais en

gardant toujours une attitude chrétienne et sans nous rebeller. De nos jours il est rare qu'un chrétien occidental doive faire cette sorte de choix. Il n'en est pas de même dans d'autres parties du monde.

L'obéissance aux dirigeants de l'Eglise. L'auteur de l'épître aux Hébreux parlait probablement des anciens de l'Eglise: «Obéissez à vos conducteurs et soyez-leur soumis. Car ils veillent au bien de vos âmes, dont ils devront rendre compte. Faites en sorte qu'ils puissent le faire avec joie et non en gémissant, ce qui ne serait pas à votre avantage» (Hébreux 13:17).

Les anciens qui dirigent une Eglise locale sont, de par le plan de Dieu, tenus responsables de bien diriger, de même que les parents sont responsables de leurs enfants. Comme les enfants doivent obéissance à leurs parents, ainsi les membres du corps de Christ doivent obéir aux anciens et les respecter.

Une fois encore, cela ne signifie pas une obéissance inconditionnelle. De même que Paul donne des directives très strictes aux parents sur l'attitude qu'ils doivent avoir envers leurs enfants, il demande aux anciens de donner l'exemple à leurs troupeaux et de ne pas tyranniser ceux qui leur sont confiés (1 Pierre 5:3). Nous observons ici encore des relations qui ne sont pas courantes dans notre monde entre les différents membres du corps de Christ. Nous voyons que l'amour, la soumission, l'honneur, l'obéissance et le respect mutuels peuvent exister, même là où il y a une autorité reconnue.

Examen de soi et suggestions

Dans quel domaine de votre vie constatez-vous que vous avez du mal à obéir?

☐ Obéir à mes parent et les honorer

Remarque: Si nous sommes mariés ou vivons seuls, cela ne nous dispense pas d'honorer nos parents, bien qu'ils n'aient pas le droit de diriger nos vies. Nous devons toujours les aimer et les respecter.

☐ Obéir à mon employeur et l'honorer

☐ Obéir à ceux qui dirigent notre pays, les respecter ainsi que leurs règlements

☐ Obéir à mes dirigeants spirituels et les respecter.

Ecrivez une décision que vous avez prise pour corriger un point faible de votre vie chrétienne.

Projets de famille ou de groupe

Consacrez un moment à réviser ce chapitre. En tant que parents, encouragez vos enfants, ceux qui sont suffisamment grands, à dire ce qu'ils pensent de la discipline de votre foyer. Demandez-leur s'ils pensent qu'elle est justifiée. Ecoutez-les attentivement avant de leur donner les raisons pour lesquelles vous l'appliquez.

6
LES PARENTS CHRETIENS
et l'éducation des enfants

Un jour, alors que mes deux filles, maintenant adultes, avaient environ quatre ou cinq ans, je les entendis parler de Dieu. A priori leurs commentaires d'enfants semblaient simples, et cependant ce qu'elles disaient était très profond. L'une dit, faisant soudain une découverte: «Tu sais, Dieu c'est notre papa céleste».

Elles ne comprenaient pas à l'époque les implications de cette déclaration, mais leur père qui les écoutait attentivement dans l'autre pièce le fit certainement! Je compris soudain, comme jamais auparavant, que la vision qu'elles avaient de Dieu était leur père. Moi, père visible, je représentais plus ou moins bien, le Père invisible. La connaissance qu'elles avaient de Dieu n'était pas tant ce que je leur disais de

Lui, mais plutôt ce qu'elles découvraient à travers ma personnalité, mon comportement, mes actes envers leur mère, envers elles et envers les autres.

C'est ainsi que Paul, dans ses épîtres aux Ephésiens et aux Colossiens, adresse plus particulièrement ses commentaires sur l'éducation des enfants aux pères: «Et vous, pères, n'irritez pas vos enfants, mais élevez-les en les corrigeant et en les avertissant selon le Seigneur» (Ephésiens 6:4; voir aussi Colossiens 3:21).

C'est un fait que Paul exhortait d'abord les pères de famille, mais si l'on regarde de plus près les textes originaux et les mœurs de l'époque, on s'aperçoit que l'apôtre s'adressait aux deux parents. D'un autre côté, ce qu'il déclare s'applique surtout aux pères, car l'Ancien et le Nouveau Testament rendent les pères responsables de l'éducation des enfants.

Dans la structure familiale, le père représente, d'un façon très particulière, l'image de Dieu. Dieu est appelé notre «Père céleste», et non pas notre «mère céleste», bien qu'Il représente certainement d'une façon unique les deux parents. L'homme et la femme ont été créés à l'image de Dieu (voir Genèse 1:27). Depuis le début de la création, l'autorité et la place de l'homme dans la famille s'apparentent plus spécifiquement à l'autorité de Dieu et à la place qu'Il occupe dans l'univers. Cette réalité s'est progressivement dénaturée et transformée dans certaines cultures où l'image de la mère prédomine, bien que ce n'était pas le cas au début de l'Histoire. Dans l'Ecriture, l'image de Dieu a, de tout temps, été davantage masculine que féminine. La plus grande manifestation a été la venue sur la terre de l'homme Jésus-Christ, qui était Dieu et s'est fait chair.

Paul, dans Ephésiens 4, a exhorté tout d'abord les pères qui, en un sens représentent Jésus-Christ auprès de leurs enfants.

En écrivant aux pères (et aux parents) de l'époque du Nouveau Testament, Paul dans son épître aux Ephésiens, parle en premier lieu de ce qu'ils ne doivent pas faire; puis il leur dit ce qu'ils doivent faire. Ces deux recommandations concises et brèves (l'une étant positive et l'autre négative) représentent à elles seules un véritable précis d'éducation à l'attention des parents.

Pères, n'irritez pas vos enfants

Dans son épître aux Colossiens, l'apôtre Paul précise un peu plus sa pensée lorsqu'il dit: «Pères, n'irritez pas vos enfants de peur qu'ils ne se découragent» (Colossiens 3:21).

Au temps du Nouveau Testament, la plupart des pères païens ne faisaient preuve d'aucune sensibilité envers leurs enfants. D'ailleurs, Paul avait déjà rappelé aux pères chrétiens que dans leur vie passée, ils avaient «perdu tout sens moral» (Ephésiens 4:19). Ils avaient le verbe haut, ils étaient remplis «d'amertume, d'animosité et de colère» (Ephésiens 4:29-31; voir également Colossiens 3:8). Sachant combien nous sommes enclins à l'impatience, et étant aussi conscients des mauvais traitements infligés aux enfants à notre époque (un problème de première importance), nous n'avons pas de mal à imaginer ce qui pouvait se passer à l'époque du Nouveau Testament dans certaines familles. C'est pourquoi Paul rappelle aux Ephésiens (cette fois-ci aux parents) qu'ils sont devenus chrétiens et qu'ils ne doivent plus vivre comme les Gentils.

Mais qu'en est-il des parents chrétiens modernes? Comment pouvons-nous irriter nos enfants, les aigrir ou les décourager?

En les maltraitant physiquement. Une discipline brutale n'a pas lieu d'exister dans une famille chrétienne, ni même dans les autres. Je suis en faveur de la discipline, c'est sûr. Et pour dissiper toute confusion, je dirai même que je suis pour la fessée! Mais que ce soit avec amour et toujours pour le bien de l'enfant. Je connais des parents chrétiens qui frappent leurs enfants avec les poings et les fouettent si fort que ces derniers en ressentent les coups pendant longtemps. Le bon sens nous dit que ce procédé est mauvais et que c'est un péché de l'utiliser. Les avertissements de Paul se rapportent directement à ces situations.

Cela arrive souvent aux parents parce qu'ils reportent leur hostilité sur leurs enfants. C'est une chose d'être en colère après ses enfants, mais c'en est une autre que d'être en colère avec soi ou autrui et de transférer cette hostilité sur nos enfants. Lorsque cela se produit, nous ne disciplinons pas par amour. Cela prouve plutôt que nous avons de sérieux problèmes psychologiques et spirituels.

En portant atteinte à leur psychisme. Il est des parents à qui il ne viendrait pas à l'esprit de battre sauvagement leurs enfants, mais qui provoquent les mêmes résultats par leurs paroles. Un enfant peut être gravement atteint psychologiquement par les réflexions humiliantes et les critiques d'un adulte. Dans la plupart des cas, ce traitement provoquera plus de révolte, d'amertume ou de découragement dans le cœur de l'enfant que les sévices corporels; il est plus nuisible et ses effets négatifs durent beaucoup plus longtemps.

En négligeant de nous occuper d'eux. Cela est vrai du père occidental contemporain. Le travail, les activités sociales, et même la vie de l'Eglise sont tellement accaparants qu'il ne reste que bien peu de temps à consacrer aux enfants. La négligence engendre également ressentiment et amertume.

Ceux qui sont dans le ministère se trouvent souvent face à un double problème. Ils passent parfois tant de temps à s'occuper des autres et de leurs enfants qu'ils n'ont plus le temps d'être avec leurs propres enfants. Nombreux sont les enfants de pasteurs et de missionnaires qui sont devenus hostiles envers leurs parents et qui leur en veulent de ne pas s'être occupés d'eux. Souvent, ils reportent leurs sentiments amers sur la Bible et sur le Seigneur.

Ceci se conçoit bien. L'enfant s'est senti délaissé parce que ses parents «servaient le Seigneur» et qu'ils «enseignaient la Parole de Dieu». La tendance naturelle pour l'enfant est d'en vouloir à ce qui a éloigné ses parents de lui. Dans ce cas, les problèmes psychologiques deviennent des problèmes spirituels graves.

En ne faisant pas l'effort de les comprendre. Il est facile de porter des jugements et de prendre des décisions sans avoir compris le point de vue de l'enfant. Quand les enfants sont incompris, ils sont froissés comme nous le serions dans la même situation.

Comprendre les enfants demande des efforts, surtout à notre époque où tout change si rapidement. Bon nombre d'enfants ont des problèmes différents des nôtres à leur âge. Leurs besoins essentiels sont les mêmes, mais bien souvent la façon d'y répondre diffère suivant la culture.

Ecoutez vos enfants. Ne vous laissez pas accaparer par votre monde et vos propres besoins au point de ne pas même savoir ce que font vos enfants, ce qui les intéresse, et quels sont leurs véritables problèmes. Si vous ne les connaissez pas et ne les comprenez pas, vous ne pourrez prendre de bonnes décisions pour leur bien.

En attendant trop d'eux. Certains parents visent si haut pour leurs enfants que ces derniers se sentent frustrés, ce qui peut aussi les pousser à la révolte et au découragement.

Soyez réalistes. Les possibilités et aptitudes des enfants varient suivant leur âge et leur personnalité. N'attendez pas la même chose de chacun de vos enfants.

Et surtout, n'essayez pas de faire faire à votre enfant ce que vous auriez aimé accomplir lorsque vous étiez jeune et que vous n'avez pu réaliser. Cela risque de détruire la personnalité de votre enfant, qui vous en voudra.

En exigeant qu'ils atteignent certains niveaux. C'est la source de bien des frustrations chez de nombreux enfants. S'ils satisfont les exigences des parents, ils sont aimés et acceptés, mais s'ils n'y réussissent pas, ils sont punis et rejetés. Cela cause également de l'hostilité de la part de l'enfant. Une conséquence encore plus tragique est que l'enfant apprend à interpréter Dieu de la même manière. C'est ainsi qu'il se dit: «Si je suis sage, Dieu va m'accepter et me récompenser, mais si je suis méchant, Il me rejetera et me punira.»

Ceci ne reflète pas l'amour inconditionnel de Dieu, mais bien plutôt l'attitude irrationnelle des parents. Certes, Dieu nous discipline, mais c'est toujours pour notre bien. Il ne nous rejette jamais, car si nous connaissons personnellement Jésus-Christ comme notre Sauveur, Il nous acceptera toujours.

En les forçant à accepter nos buts et nos idées. Cela soulève un problème difficile. En tant que parents, nous avons l'impression de mieux savoir qu'eux et c'est effectivement souvent le cas. Mais les enfants, surtout les adolescents et les jeunes adultes, doivent parfois prendre leurs propres décisions quant à leur future vocation, leurs amitiés et même leur foi. Nous ne pouvons les forcer contre leur gré sans qu'il y ait une réaction négative.

Comprenez-moi bien! Si pendant leur croissance, vous avez été l'exemple que vous auriez dû être, si vous leur avez enseigné la vérité qu'ils doivent connaître, si vous avez véritablement vécu Jésus-Christ en leur présence, ils ne s'éloigneront jamais de cette influence. Même s'ils traversent une période de doute, ils accepteront éventuellement vos idées, votre style de vie et votre foi, surtout si celle-ci reflète bien la Parole de Dieu. Ce doit être une décision intérieure de leur part. Ne les forcez surtout pas. Expliquez-leur vos conceptions, mais avec tact et avec une oreille attentive. Réjouissez-vous lorsqu'ils vous font part de leurs doutes, de leurs craintes, de leurs problèmes. C'est la preuve qu'ils se sentent en sécurité auprès de vous. Ne détruisez pas ce sentiment en vous défendant ou en étant trop sensibles.

En ne reconnaissant pas nos erreurs. La chose la plus difficile à faire pour les parents est d'admettre qu'ils se soient trompés, de dire: «Je regrette». Quand vous vous trompez, votre enfant généralement s'en rend compte. N'hésitez pas à vous excuser et à demander pardon. Vous ne perdrez pas le respect que l'enfant vous doit, vous le gagnerez plutôt. Vous enseignerez par là même une grande vérité biblique. Si nous ne reconnaissons pas nos erreurs, la majorité des enfants s'en aperçoivent et risquent de ne plus respecter leurs parents.

«Elevez-les dans le Seigneur»

Paul passe des choses que les parents ne doivent pas faire à celles qu'ils doivent faire. L'éducation des enfants comporte deux points essentiels: l'exemple et l'enseignement. Dans ce verset, Paul pensait sans aucun doute à ces deux moyens.

L'exemple. Donner l'exemple aux enfants est le moyen le plus efficace que les parents peuvent employer pour éduquer leurs jeunes enfants. Si les relations que nous avons avec nos enfants sont bonnes, s'ils se sentent bien avec nous, s'ils nous aiment, ils veulent tout naturellement devenir comme nous, surtout à l'âge de trois ans. Ils veulent parler comme nous et prennent le même ton de voix que nous. Si nous sommes bruyants et exubérants et que nous crions beaucoup, ils seront de même. Si, au contraire, nous nous montrons sensibles, honnêtes et pleins de compréhension, ils apprendront à adopter les mêmes qualités. Si nous voulons que nos enfants reflètent Jésus dans leur vie, nous devons être de bons exemples de Jésus-Christ.

L'enseignement direct. Dans la première épître aux Thessaloniciens, l'apôtre Paul utilise une magnifique illustration pour parler de l'éducation que doivent donner les parents à leurs enfants. C'est de son propre ministère auprès des chrétiens de Thessalonique qu'il parle, mais il fait une comparaison avec le foyer. Voyez ce qu'il dit: «Vous savez aussi que nous avons été pour chacun de vous ce qu'un père est pour ses enfants; nous vous avons exhortés, consolés, adjurés de marcher d'une manière digne de Dieu qui vous appelle à son royaume et à sa gloire» (1 Thessaloniciens 2:11-12).

C'est une illustration saisissante. Tout d'abord, Paul énonce ce qu'il pense du rôle du père auprès de chacun de ses enfants, c'est-à-dire toucher la vie de chaque enfant en particulier, pourvoir aux besoins individuels de chacun d'eux. Ce n'est pas la famille que nous devons élever, mais chaque enfant, membre de cette famille.

Mais notez aussi la méthode: «Nous vous avons (chacun de vous) exhortés, consolés, adjurés de marcher d'une manière digne de Dieu qui vous appelle à son royaume et à sa gloire.»

Les parents devraient constamment *encourager* leurs enfants, et non pas les décourager. Nous devons provoquer en eux des réactions positives, nous devons leur montrer que nous nous intéressons à ce qui leur plaît; nous devons leur montrer que nous sommes fiers de ce qu'ils font, que nous les aimons d'une manière inconditionnelle, quels que soient leurs problèmes.

Beaucoup d'enfants passent inaperçus jusqu'au jour où ils font quelque chose de mal. Il n'est pas surprenant que certains enfants créent des problèmes pour attirer l'attention. Certains vont même jusqu'à accepter de souffrir les peines d'une discipline sévère pour qu'on s'occupe d'eux. Quel malheur quand cette pratique devient une habitude dans la vie d'un enfant! Et quel drame lorsque les parents sont inconscients de ce qui se passe!

L'un des ministères les plus importants que

les parents peuvent exercer auprès de leurs enfants est de les *réconforter* lorsqu'ils souffrent, que ce soit physiquement ou mentalement. Nous devons nous mettre à leur place quand ils souffrent ou même lorsqu'ils sont en colère.

Il n'est pas rare qu'un enfant rentre de l'école furieux et amer contre un professeur ou d'autres enfants. Souvent, la première chose qu'il s'entend dire de ses parents est qu'il ne devrait pas réagir de la sorte. Or, très souvent les parents pourraient dissiper cette colère s'ils s'identifiaient à l'enfant et disaient par exemple: «La journée a dû être pénible pour toi; raconte-moi ce qui s'est passé!»

Lorsque la journée a été pénible pour un enfant, ses sentiments sont affectés de la même façon que le sont ceux d'un adulte qui aurait passé une mauvaise journée. Comme l'adulte imcompris ou vexé, l'enfant se blesse et se révolte.

La responsabilité des parents est de réconforter leurs enfants, de les aider à exprimer leurs sentiments, même si ce ne sont pas de bons sentiments, puis de les aider à envisager une solution salutaire à leur problème.

La plupart des réactions des enfants s'expliquent très bien. L'enfant vit dans un monde cruel, et souvent devient la victime des faiblesses et du manque de logique des adultes de son entourage, puis on le blâme souvent pour celà. On comprend bien que ses réactions ne soient pas toujours positives.

La dernière réflexion de Paul sur son ministère personnel du point de vue du père, met l'accent sur la motivation. Il faut: «exhorter les enfants à marcher d'une manière digne de Dieu», d'une manière «sainte, juste et irréprochable». Remarquez bien que la comparaison de Paul découle du verset précédent, dans lequel l'apôtre et ses compagnons d'œuvre affichent ces trois qualités essentielles de la vie chrétienne (1 Thessaloniciens 2:10).

Là encore, nous voyons que l'exemple et l'enseignement ont été les mobiles d'une vie juste et sainte. Nous ne devons jamais hésiter à mettre en garde nos enfants contre le péché, ses dangers et ses effets destructeurs. Cela fait partie de notre responsabilité d'éducateur. Nous devons leur enseigner la Parole de Dieu. Il leur faut comprendre que la seule voie pour trouver le bonheur est de nous reposer en Dieu en accomplissant Sa volonté, et en vivant une vie qui Lui soit agréable.

Une parole à l'attention de tous les chrétiens

Il est intéressant de noter une fois de plus que l'éducation chrétienne et l'intérêt qu'on lui porte n'est pas l'unique responsabilité des parents. En un sens les croyants devraient adopter le rôle de parents l'un envers l'autre. Nous ne devons pas «médire les uns des autres» (Jacques 4:11), ni «nous plaindre des uns des autres» (Jacques 5:9). Nous ne devons pas non plus «nous juger les uns les autres» (Romains 14:13). Nous devons plutôt tous «nous instruire et nous avertir réciproquement» (Colossiens 3:16), «nous exhorter chaque jour» (Hébreux 3:13). Tous nous devons «veiller les uns sur les autres pour nous inciter à l'amour et aux œuvres bonnes» (Hébreux 10:24).

A travers ces exhortations adressées à tous les chrétiens, nous voyons les mêmes responsabilités que les parents doivent avoir pour leurs enfants. De ces attitudes découlent l'harmonie et l'unité, et non la révolte, l'amertume et le découragement.

Examen de soi et suggestions

1. En tant que parents, quels sont vos points forts et ceux pour lesquels vous devez vous améliorer? Mettez le signe + là où vous pensez bien agir, et le signe − où vous savez que vous avez besoin de vous améliorer.

☐ Une bonne discipline sans sévices corporels
☐ Une bonne discipline sans troubles psychiques
☐ Leur consacrer tout le temps nécessaire
☐ Comprendre leurs besoins et leurs problèmes
☐ Ne pas trop attendre d'eux
☐ Ne pas leur imposer des normes à atteindre
☐ Ne pas leur imposer nos idées et nos désirs, mais leur donner le bon exemple et un enseignement valable de la vie chrétienne
☐ Admettre nos fautes et demander pardon
☐ Montrer un intérêt personnel et de la sollicitude à chaque enfant
☐ Les encourager
☐ Les réconforter
☐ Leur donner le goût de vivre une vie sainte.

2. En tant que membre du corps de Christ, comment pouvez-vous enseigner, encourager, réconforter et exhorter un autre membre du corps de Christ? Soyez précis. Etablissez un but pour la semaine. Choisissez une personne que vous connaissez qui se trouve dans le besoin.

Projets de famille ou de groupe

En tant que mari et femme, discutez ensemble vos points forts et vos points faibles, et les réponses aux questions ci-dessus. Etablissez des buts précis pour pourvoir aux besoins affectifs et spirituels de vos enfants.

En tant que membre du corps de Christ, appelez un ou plusieurs amis et décidez ensemble ce que vous pouvez faire pour aider un frère ou une sœur découragé.

7

LA FAMILLE ET L'EDUCATION

Ce qu'en dit l'Ancien Testament

Paul dit clairement que les parents chrétiens sont les principaux responsables de l'éducation de leurs enfants. Alors qu'il s'adresse à tous les croyants en général, l'apôtre donne des illustrations tirées de sa propre vie pour montrer ce que devraient être les principes de cette éducation (1 Thessaloniciens 2:11, 12). Il est intéressant, mais non pas surprenant, de constater que l'Ancien Testament nous donne des instructions très précises sur la manière d'éduquer nos enfants suivant les recommandations et les préceptes du Seigneur. Quel exemple unique! Nous y trouvons les principaux problèmes, les causes de frustrations, et les dangers inhérents à n'importe quelle famille, quelle que soit son époque ou le lieu où elle vivait. Nous trouvons également tout ce qui est nécessaire: idées, suggestions de toutes sortes pour permettre aux parents de notre siècle de réussir dans toutes les circonstances.

Voyons ce que dit l'Ancien Testament. Il enseigne aux parents au moins trois leçons essentielles. Nous les trouvons au chapitre 6 de Deutéronome.

Faites l'expérience de la consécration personnelle

«Ecoute, Israël!»

C'était la voix de Moïse s'adressant à une multitude de personnes qui venaient de passer 40 ans à errer dans le désert à cause des péchés de leurs parents, qui s'étaient livrées à une idolâtrie et immoralité incroyables. Une nouvelle génération se tenait à présent à une courte distance de la Terre Promise, prête à y entrer.

Moïse, leur chef, révisait la loi de Dieu. Ce qui l'intéressait dans l'immédiat, c'était le premier commandement, l'essence de la Loi et celui qui avait été le plus souvent violé. Quelque temps auparavant, le Seigneur avait proclamé du haut du mont Sinaï: «Je suis l'Eternel ton Dieu. . . Tu n'auras pas d'autres dieux devant ma face. . . Tu ne te feras pas de statue. . . Tu ne te prosterneras pas devant elles, et tu ne leur rendras pas de culte» (Exode 20:2-5).

Peu de temps après que Dieu ait parlé si clairement contre l'idolâtrie, les Israélites se prosternèrent devant le veau d'or, attirant la colère de Dieu sur eux parce qu'ils avaient désobéi de façon flagrante à ce que Dieu leur avait révélé. C'est pour cela que Moïse leur répète: «Ecoute, Israël! L'Eternel, notre Dieu, l'Eternel est un» (Deutéronome 6:4). Cela veut dire qu'Il est le Dieu absolu! Il n'existe aucun autre Créateur, aucun autre libérateur. Par cet avertissement, Moïse exhortait les enfants d'Israël à ne plus jamais se tourner vers les faux dieux d'une société païenne.

Mais le message de Moïse, ce jour-là, contenait plus qu'une présentation intellectuelle et mentale de Dieu. Il faisait également appel à leurs émotions et à leur volonté, à tout l'être humain. Moïse continue ainsi: «Tu aimeras l'Eternel, ton Dieu, de tout ton cœur, de toute ton âme et de toute ta force. Et ces paroles que je te donne aujourd'hui seront dans ton cœur» (Deutéronome 6:5-6).

Moïse les exhortait à un engagement total, à une consécration personnelle. Il était impossible à ce peuple de rester fidèle à Dieu uniquement par l'approbation intellectuelle de Ses commandements. L'amour dont il parlait comprenait l'obéissance. Un peu avant, il avait déclaré: «Tu les écouteras donc, Israël, et tu les observeras pour les mettre en pratique» (Deutéronome 6:3). Cette obéissance-là doit couler du cœur, le siège même des sentiments de l'homme. Elle doit venir de l'âme, le siège de la personnalité de l'homme. Elle doit comprendre sa puissance ou sa force, l'énergie qui émane du corps physique de l'homme. En résumé, l'homme peut seulement être fidèle à Dieu en se consacrant totalement à Lui.

La situation est claire. Avant, au Sinaï, les enfants d'Israël avaient lamentablement échoué en tant que parents parce qu'ils n'avaient pas fait pénétrer en eux la Parole de Dieu. Ils n'avaient fait qu'entendre la voix de Dieu. Ils ne s'étaient pas réellement donnés à Lui. Leurs vies leur appartenaient encore. Ils n'avaient pas vraiment pris Dieu au sérieux. Ils ne s'étaient pas engagés personnellement. Lorsqu'ils étaient tentés par leurs désirs charnels, leurs craintes, leurs ambitions, ils retournaient à leur ancienne façon de vivre. Les résultats sont évidents, comme Dieu l'a prédit en leur laissant la Loi. En interdisant l'idolâtrie, Dieu avait proclamé: «Car moi, l'Eternel, ton Dieu, je suis un Dieu jaloux, qui punis la faute des pères sur les fils jusqu'à la troisième et à la quatrième (génération) de ceux qui me haïssent» (Exode 20:5).

Communiquer davantage la Parole de Dieu

Après cette exhortation à la consécration personnelle, Moïse expose de façon très détaillée ce que les enfants d'Israël devaient enseigner à leurs enfants, pour que leurs descendants n'aient pas à endurer les mêmes pérégrinations dans le désert. «Tu les inculqueras à tes fils et tu en parleras quand tu seras dans ta maison, quand tu iras en voyage, quand tu te coucheras et quand tu te lèveras. Tu les lieras comme un signe sur ta main, et elles seront comme des fronteaux entre tes yeux. Tu les écriras sur les poteaux de ta maison et sur tes portes» (Deutéronome 6:7-9).

Bien que ces instructions possèdent à la fois un sens littéral et un sens figuré, il était impossible aux enfants d'Israël de ne pas comprendre ce qui intéressait en premier lieu Moïse, à savoir que la Parole de Dieu devait être communiquée aux enfants d'une manière spontanée et naturelle dans toutes leurs activités. Lorsqu'ils se mettaient à table, ils devaient rendre grâces à Dieu pour la nourriture. Avant d'aller se promener, ils devaient louer Dieu qui leur procurerait un endroit sans danger où poser les pieds, la Terre Promise où coulent le lait et le miel. Lorsqu'ils se couchaient le soir, ils devaient élever leurs voix à Dieu pour Le remercier de les avoir délivrés de l'esclavage. Le matin en se réveillant, les louanges devaient monter vers Dieu pour Lui demander de leur donner une journée sans crainte de l'oppresseur.

Ils devaient, avec ces louanges et actions de grâces, enseigner les lois de Dieu à leurs enfants. Chaque jour et en toute chose, ils devaient intégrer la vérité de Dieu à leur mode de vie, et ceci d'une façon spontanée, naturelle et constante.

Il y a, bien entendu, une corrélation évidente entre le précédent appel à la consécration de Moïse et cette invitation à communiquer la Parole. C'est seulement quand la Parole de Dieu fait partie intégrante de leur vie qu'ils peuvent l'enseigner de façon spontanée et naturelle à leurs enfants. C'est seulement lorsque leur vie entière reflétait les Ecritures qu'ils pouvaient les citer en se mettant à table, en se promenant, en se couchant pour se reposer, et en se levant le lendemain pour affronter un jour nouveau. Et c'était seulement lorsque la vérité de Dieu était imprimée dans leurs cœurs que leur présence physique (leurs mains, leurs fronts) et même leur maison (les «poteaux») pouvaient refléter la volonté de Dieu (voir Deutéronome 6:8-9).

Eliminer la contamination du monde

Le précédent échec d'Israël et sa chute (déclenchant le jugement de Dieu) poussèrent les Israélites à se laisser entraîner dans le système charnel de l'Egypte. Ils voulaient même retourner à l'état d'esclave, cela pour avoir un peu plus de variété dans le menu (Nombres 11:5-6). Quand ils s'impatientèrent contre Moïse, malgré toutes les révélations de Dieu au Sinaï, ils retombèrent dans une idolâtrie incroyable.

Moïse comprit leurs faiblesses. Il avait vécu au milieu de leurs murmures et de leurs vacillations pendant plus de quarante ans. C'est pourquoi il les avertissait à l'avance: «Prenez garde!» «Quand l'Eternel ton Dieu te fera entrer dans le pays... pour te donner de grandes et bonnes villes... des maisons pleines de toutes sortes de biens... des citernes creusées... des vignes et des oliviers... et lorsque tu mangeras et te rassasieras, garde-toi d'oublier l'Eternel, qui t'a fait sortir du pays d'Egypte, de la maison de servitude» (Deutéronome 6:10-12).

J'aimerais tellement dire que l'histoire se termina ainsi: «Puis ils se rendirent en terre de Canaan, respectèrent les lois de Dieu, les enseignèrent à leurs enfants, et reçurent la pleine bénédiction du Seigneur.» Ce ne fut malheureusement pas le cas. En fait, la suite de l'histoire est tragique et n'est d'ailleurs pas terminée. Bien que le Seigneur ait donné aux enfants d'Israël une autre chance après leur échec au Sinaï, ils se détournèrent à nouveau de Lui. Leur attitude déclencha le jugement de Dieu et l'anarchie pour la nation d'Israël.

On trouve, dans le livre des Juges, de nombreux faits pratiquement incroyables au sujet d'Israël, après que le peuple soit entré en Terre Promise sous la direction de Josué. Malgré les nombreux avertissements qu'ils reçurent, voyez ce qui arriva: «Josué, fils de Noun, serviteur de l'Eternel, mourut. . . Toute cette génération fut, elle aussi, réunie à ses ancêtres décédés, et il s'éleva après elle une autre génération, qui ne connaissait pas l'Eternel, ni l'œuvre qu'il avait accomplie pour Israël. Les Israélites firent alors ce qui est mal aux yeux de l'Eternel et ils rendirent un culte aux Baals. . . Ils abandonnèrent l'Eternel. . . La colère de l'Eternel s'enflamma contre Israël» (Juges 2:8-14).

On a du mal à concevoir qu'ils aient fait preuve de tant d'incrédulité et d'une telle désobéissance. Il est aussi difficile de comprendre comment une seule génération suffit à changer tout le mode de vie d'une nation, pourtant c'est ce qui se passa. Les parents à qui Moïse s'était adressé avant qu'ils n'entrent dans le pays ne mirent pas en pratique ce qu'il leur avait dit. Ils ne tinrent pas leurs engagements et n'enseignèrent pas la Parole de Dieu à leurs enfants; ils se laissèrent contaminer avec leurs enfants par les idées du monde à Canaan. En l'espace de quelques années, tout Israël se détourna de Dieu.

De bonnes leçons pour les parents du vingtième siècle

Nous trouvons dans ces passages de l'Ancien Testament d'excellentes idées pour toutes les familles, quelle que soit l'époque. De nos jours, les parents chrétiens doivent appliquer les mêmes principes, puisqu'à la base nos problèmes sont les mêmes que ceux rencontrés par les Israélites à cette époque.

Nous devons consacrer nos vies à Dieu. Nous ne pourrons jamais enseigner à nos enfants à marcher dans les voies de Dieu en leur disant simplement ce qu'ils devraient faire. Notre existence doit refléter la réalité du christianisme.

Le pire, bien sûr, c'est de parler à nos enfants des voies de Dieu, de les envoyer à l'église où on enseigne Ses voies, et de vivre une vie non conforme à l'Ecriture. Ceci est fatal à leur éducation.

Même les psychologues non-chrétiens reconnaissent le pouvoir du comportement humain pour communiquer les valeurs. Un psychologue britannique examina la croissance de milliers d'enfants, fit la réflexion suivante: «Nous voyons que c'est par un procédé tout à fait naturel que se développent le sens moral ct les règles de comportement chez l'enfant. De sorte que, si vous n'avez jamais enseigné à l'enfant aucune morale, il se développera néanmoins en lui des règles morales, ou immorales du bien et du mal par le procédé de l'identification.»

En vérité, ce que nous sommes en tant que chrétiens est beaucoup plus important que tout ce que nous pouvons dire sur les doctrines du christianisme. Au moins, ce que nous sommes est essentiel pour ouvrir la porte à ce que nous allons dire. C'est pour cela que Moïse a tellement insisté sur l'engagement personnel et l'observation totale de la Parole de Dieu. Ce n'est que si nous aimons, nous aussi, le Seigneur notre Dieu de tout notre cœur, de toute notre âme et de toute notre force que nos enfants prendront au sérieux ce que nous disons.

Nous devons communiquer avec nos enfants selon les principes bibliques. Il nous est possible de communiquer naturellement et d'une façon spontanée avec nos enfants, quel que soit le lieu où nous nous trouvons et quoi que nous fassions, en nous consacrant totalement à Jésus-Christ et en laissant la Parole de Dieu pénétrer au plus profond de nous-mêmes. Un enseignement formel est important, mais pas autant que l'exemple que l'on apporte de façon naturelle. En tant que parents, nous devons être prêts à appliquer les vérités bibliques aux circonstances de la vie, au fur et à mesure qu'elles se présentent. C'est pourquoi Moïse enjoignit aux enfants d'Israël de parler des lois de Dieu où qu'ils se trouvent dans leur maison, en promenade, et quoi qu'ils fassent: en se couchant, en se levant. C'est alors qu'une communication effective peut s'établir, dans les moments propices à l'enseignement.

Notez bien que Moïse a dit: «Tu les inculqueras à tes fils» (Deutéronome 6:7). Ce genre d'enseignement demande donc de la persévérance et des efforts. Il faut toujours se tenir en éveil et saisir les occasions. Quoi de plus naturel que de parler de la création de Dieu lors d'une promenade dans les bois, ou bien en escaladant une magnifique montagne, ou encore lors d'une randonnée en voiture à travers la campagne? Quel meilleur cadre pour faire connaître la bienveillance de Dieu à notre égard qu'en bordant un enfant dans son lit le soir, ou en affrontant avec courage ce qu'un jour nouveau nous apporte? Il n'y a pas de meilleur moment pour attirer l'attention sur la façon dont Dieu pourvoit toujours à nos besoins qu'au moment de se mettre à table devant un plat délicieux! Je pourrais aussi ajouter: quelle meilleure occasion pour apprécier encore plus la maman qui a passé du temps à préparer ce repas!

Quelqu'un a dit: «Ce que nous sommes parle si fort que les gens ne peuvent entendre ce que nous disons». Ceci est très souvent vrai, surtout si l'on part d'un point de vue négatif. Considérons cette phrase de façon positive: «Ce que nous sommes parle si fort que tout le monde entend bien ce que nous disons.» Voilà ce qui intéressait Moïse!

Nous devons éviter de nous laisser contami-

ner par le monde. Bien sûr nous ne pouvons pas faire disparaître le monde. Nous y vivons et il nous entoure (1 Corinthiens 5:9-11), mais il n'est pas nécessaire que nous subissions son influence négative et que nous adhérions à son système de valeurs.

Ce fut là l'erreur d'Israël et la cause de son échec. Ils se mirent à adorer les dieux de Canaan, et aussi le dieu du matérialisme. Lorsqu'ils arrivèrent dans le pays et qu'ils reçurent des bénédictions en abondance, ils oublièrent bien vite la source de ces bénédictions. Ils déclarèrent même: «Ce sont nos propres œuvres». Et, pour leur malheur, leurs enfants les ont crus. On peut dire que l'éducation opère dans deux directions: vers Dieu ou bien à l'encontre de Dieu. Cette contamination de Canaan éloigna la nouvelle génération de Dieu.

Malheureusement, l'impact de l'exemple négatif est plus fort que celui de l'exemple positif, Satan y veille. Le monde offre plus de choses fascinantes, plus de bonheurs immédiats, plus de plaisirs personnels, mais l'issue en est la destruction et la mort.

En tant que parents du vingtième siècle, nous devons constamment être en garde contre les influences du matérialisme et du paganisme de notre monde. Les instruments dont Satan se sert aujourd'hui le plus sont la télévision, la littérature, le cinéma, l'école laïque, et le mode de vie général de l'homme moyen. Par-dessus tout, nous devons nous méfier des influences du monde qui peuvent atteindre nos enfants par notre intermédiaire. Souvenez-vous: il ne fallut qu'une seule génération pour détruire Israël! Bien que nous, parents, puissions vivre suivant deux principes, nos enfants n'en auront sans doute qu'un seul: celui du monde!

Examen de soi et suggestions

Examinez avec soin votre mode de vie en tant que parents et chrétiens (les principes de la parenté s'appliquent aussi au témoignage d'un chrétien) et répondez le plus honnêtement possible au questionnaire ci-dessous.

1. A quel point la Parole de Dieu fait-elle partie intégrante de ma vie? Les autres (et en particulier mes enfants) voient-ils que j'aime Dieu de tout mon cœur, de toute mon âme et de toute ma force? Ai-je véritablement consacré ma vie entière à Dieu?

2. Jusqu'à quel point est-ce que je communique avec les autres selon les principes bibliques? Jésus-Christ et Sa volonté font-ils partie de ma façon de vivre et de ma conversation? Est-ce que je saisis les occasions, les moments favorables à l'enseignement, pour communiquer les vérités chrétiennes à mes enfants et aux autres? (Remarque: le seul moyen pour que ce soit spontané et naturel, c'est d'avoir une relation vivante avec Jésus-Christ tous les jours. Autrement, ce que nous disons ou faisons sera hypocrite et superficiel.)

3. Suis-je toujours sur mes gardes contre la mauvaise influence du monde «la convoitise de la chair, la convoitise des yeux et l'orgueil de la

vie» (1 Jean 2:16)? Suis-je conscient de l'influence du monde sur moi? (Remarque: Le seul critère qui nous permette de voir combien le monde peut influencer notre vie est de faire de la Parole de Dieu une partie intégrante de notre vie.)

Projets de famille ou de groupe

Lisez ensemble Galates 5:19-26. Dans ce passage, l'apôtre Paul oppose les actes de la chair aux fruits de l'Esprit. Priez ensemble et demandez à Dieu de vous aider à «marcher par l'Esprit», pour les parents surtout.

8 LA DISCIPLINE, un point de vue équilibré

En quelque sorte, il est dangereux (et menaçant) d'aborder le sujet de la discipline. L'une des raisons, c'est qu'il existe beaucoup d'opinions et de théories différentes dans le monde d'aujourd'hui. Il paraît aussi trop facile d'ajouter une autre théorie, qui risque de ne pas marcher. Il est particulièrement dangereux d'essayer ces théories sur des êtres humains. Les résultats peuvent être désastreux, puisque ce sont des vies humaines qui sont en jeu. Il est exact que l'application d'une certaine discipline peut marquer quelqu'un pour le restant de ses jours, que ce soit d'une façon positive ou négative. C'est pourquoi il est de la première importance que cette théorie soit la bonne!

Une autre raison, c'est qu'il n'existe aucun autre sujet qui soulève autant de controverses et d'émotions fortes, surtout chez les parents. Chez quelques personnes sensibles qui ont déjà élevé un enfant, vous pouvez faire naître en elles d'innombrables problèmes de culpabilité en leur montrant toutes les erreurs qu'elles ont faites et qui affecteront à jamais la personnalité de leurs enfants. Chez d'autres personnes, celles qui ont commencé l'éducation de leurs enfants, vous pouvez facilement faire naître une certaine frustration, des craintes et même soulever la colère en suggérant d'apporter quelques modifications à la méthode qu'elles utilisent déjà.

Troisièmement, comme ce sujet soulève des émotions fortes, aucune personne réfléchie et sensible ne peut disserter sur ce thème sans craindre d'être mal comprise. Lorsque vous traitez un sujet qui soulève tant de passions et provoque tant de réactions, les gens entendent quelquefois des choses que vous n'avez pas dites. Neanmoins, je tiens à aborder ce sujet. J'ai la ferme conviction que certaines choses doivent être dites pour aider les chrétiens à arriver à un point de vue plus équilibré dans le domaine de la discipline.

Quatre aspects de la discipline

Dans ce chapitre, il nous faut abandonner le format habituel de présenter un passage de l'Ecriture ou une série de versets bibliques. Ceci est nécessaire parce qu'il est impossible de traiter le sujet de la discipline d'une façon convenable en ne consultant que les Ecritures. La Bible ne nous donne pas tous les renseignements nécessaires, bien qu'elle nous donne des instructions profondes et essentielles, comme dans l'épître aux Ephésiens, celle aux Colossiens et le sixième chapitre de Deutéronome. Il faut une base de connaissances plus large afin de comprendre les révélations profondes de la Bible.

Les Ecritures sont les références de base pour tout chrétien qui cherche à comprendre un sujet quelconque. Pour aborder le problème de la discipline, nous devons faire appel à la fois à l'histoire, la culture et la psychologie, trois sciences différentes. Nous allons les voir dans l'ordre, et nous terminerons avec le point de vue biblique pour couronner le tout.

L'histoire. Le «péril du pendule» est un phénomène bien connu dans l'histoire. Que nous étudiions la psychologie de l'éducation, la politique, l'économie ou la théologie, toutes sortes de philosophies, de méthodes et d'interprétations ont tendance à passer d'un extrême à l'autre au cours des années. Les points de vue sur l'éducation de l'enfant ne font pas exception.

Le Dr Benjamin Spock nous a fait traverser une période où régnaient une grande liberté et peu de discipline, bien qu'il ait été, sans aucun doute, mal compris et souvent accusé de choses dont il n'était pas coupable. Il est exact que les parents américains ont élevé une génération d'enfants qui, dans leur mode de vie, affichaient peu de maîtrise de soi et de sens des responsabilités. N'oublions pas cependant, pour être honnête vis-à-vis du Dr Spock, que dans ces vingt ou trente dernières années, beaucoup plus d'influences étaient à l'œuvre dans la vie des enfants que la simple vue libre du Dr. Spock sur l'éducation des enfants.

Néanmoins, les actes irresponsables de milliers de jeunes Américains amenèrent les gens à opter pour une discipline plus stricte. De nombreux chrétiens ayant foi en la Bible mirent l'accent sur le fait que l'enseignement que donnait la Bible était totalement différent. «Si nous avions consulté les Ecritures plutôt que les manuels de psychologie, nous ne serions pas dans ce pétrin» disent-ils.

C'est très vrai. Le livre du Dr. James Dobson sur la discipline fut le bienvenu dans la littérature chrétienne. En tant qu'auteur chrétien, il a largement contribué à contrebalancer le «péril du pendule».

Cependant, d'autres chrétiens sont tombés dans un autre piège. Ignorant les leçons de l'histoire et les explications de la psychologie, ils ont fait dire à la Bible des choses sur la discipline qu'elle n'enseigne pas. Nous verrons ceci plus en détail un peu plus loin. Ce que nous devons reconnaître, c'est ce que ne cesse de répéter l'histoire: «Prenez garde au péril du pendule!» D'habitude les idées extrémistes ne sont exactes dans aucun domaine!

La culture. La culture, surtout dans le monde occidental, a certainement créé plus de confusions que toute autre chose dans l'esprit des parents, dans le domaine de l'éducation de l'enfant et de la discipline. La complexité de notre société a engendré nombre de problèmes variés, notamment chez les jeunes enfants.

Permettez-moi de vous donner une illustration. Songez au peu de problèmes que rencontrent les enfants (et les parents) dans une société où il n'y a pas de boutons intriguant de télévision à tourner, pas de prises de courant tentantes, pas de boutons de toutes les couleurs sur les cuisinières à gaz ou électriques, pas de placards de cuisine avec des poignées juste au niveau des yeux, et remplis d'appareils bruyants qui répondent aux désirs profonds des petits de deux ans. Il n'y a pas de salle de séjour décorée de magnifiques vases, de plantes suspendues, de jolies nappes, et tant d'autres objets auxquels il est défendu de toucher. Il n'y a pas non plus de pots de chambre qui deviennent un symbole de succès pour les parents frustrés qui se vantent ainsi auprès de leurs voisins et de leurs amis d'avoir des enfants précoces qui se conduisent comme des «êtres humains», autrement dit qui ne salissent pas leurs culottes.

A propos de pantalons, comme les enfants des cultures primitives doivent être à l'aise, eux qui ne portent pas de couches, de tricots serrés ou autres attirails typiques des enfants du monde occidental du vingtième siècle. Ils peuvent se «soulager» où et quand ils veulent, sans crainte de souiller les beaux tapis. (A ce propos, notons entre parenthèses qu'il est des parents qui sont plus tolérants avec leurs chiens ou leurs chats qu'avec leur enfants.)

Vous avez aussi les chaises hautes, très pratiques pour les parents. Mais quel contraste avec les enfants des cultures primitives qui passent les trois ou quatre premières années au sein maternel, échappant ainsi aux «trois repas par jour», syndrome de notre civilisation.

Sans parler de nos rues animées d'automobiles rapides. . . Il y a cinquante ans, un enfant de deux ans qui s'aventurait sur la route ne risquait pas de se faire renverser par un cheval ou un carosse.

Je pense que tout cela est très clair. Sans tout ce confort, tous ces accessoires dont je viens de vous parler, la vie des enfants reflète très bien celle des cultures bibliques et celle de nombreuses cultures d'aujourd'hui. Nous devons nous rendre à l'évidence que notre civilisation occidentale du vingtième siècle n'a fait que compliquer l'existence pour enfants et parents. Les premiers qui doivent s'y conformer sont les enfants; dans bien des cas, c'est la racine de nombreux problèmes relatifs à l'éducation des enfants et à leur comportement futur.

Comprenez-moi bien! je ne propose nullement le retour à une vie primitive. Ceci serait impossible. Cependant, nous devons bien comprendre les frustrations de nos enfants et faire tout notre possible pour minimiser leur anxiété.

La psychologie. Pendant des années, les psychologues ont eu à s'occuper des problèmes de comportement chez l'enfant. Nombre de ces problèmes proviennent d'une mauvaise discipline. Nous trouvons l'enfant qui ne se sent pas en sécurité parce que ce que l'on attend de lui n'est pas bien défini. Nous trouvons aussi l'enfant qui est constamment en colère et hostile parce qu'il a été réprimé. Puis l'enfant qui a compris que la seule manière d'attirer l'attention de ses parents était de faire des bêtises et de recevoir une fessée. Il y a l'enfant dont la conscience est très développée à cause des principes trop élevés de sa famille. Il y a l'enfant perfectionniste dont les parents ne sont jamais satisfaits de son comportement.

Nous trouvons l'enfant avec des problèmes sexuels dont les parents sont trop durs, trop autoritaires. (De trop nombreuses fessées incontrôlées risquent de provoquer chez l'enfant lorsqu'il devient adulte un désir de peines corporelles pendant les relations sexuelles.)

Certains enfants aussi, de peur d'être punis, retiennent leurs besoins physiques naturels. D'autres se soulagent à des moments tout à fait inopportuns pour se venger de parents qui les frustrent.

J'ai dû faire face à tous ces problèmes lors de sessions de cûre d'âmes. L'origine de tous ces problèmes et de bien d'autres encore se trouve souvent dans les mauvaises méthodes de discipline utilisées. Il n'est donc pas surprenant que les psychologues non-chrétiens réagissent contre certaines pratiques «chrétiennes» appliquées par les parents. Et ne nous étonnons pas non plus si certains, en particulier ceux qui n'ont pas un point de vue équilibré sur la Bible, réagissent brutalement et rejettent toute discipline. Le tragique de cette situation, c'est que certains non-chrétiens rejettent le christianisme parce que des chrétiens ont mal interprété et appliqué ce que la Bible enseigne en matière de discipline.

Une étude attentive de la psychologie de l'enfant révèle que les enfants, surtout dans leurs premières années, ont un «penchant naturel», et qu'ils traversent une série de phases. Ces phases sont fréquemment mal interprétées par les parents. Les demandes culturelles créent souvent un conflit sévère avec ces phases.

Prenons l'exemple d'un enfant dans sa seconde année, qui apprend à se déplacer; il entre dans une période de grande curiosité et ressent un désir intense d'explorer tout ce qu'il voit. Imaginons ce qui arrive lorsque son désir se heurte violemment à tous les interdits de notre culture sophistiquée, et surtout si la principale source de ce conflit est un parent frustré dont la collection d'objets fragiles se trouve en grand danger d'être brisée, éparpillée dans toute la maison, ou bien traînée au milieu du trottoir. Le résultat est prévisible. C'est généralement ce que j'appelle un conflit entre la vieille nature d'un parent et le penchant naturel de l'enfant. Ce qui est malheureux et ironique, c'est que généralement, nous prenons le désir intense et inné d'apprendre chez l'enfant, et qui est donné par Dieu, pour la «vieille nature pécheresse». Les chrétiens appellent souvent cette grande curiosité d'apprendre et ce conflit avec la culture, les «désirs de la vieille nature»qui doivent être rejetés. C'est la raison pour laquelle, nous avons appelée cette phase les deux ans terribles, ce qui est, je crois, une des manifestations de la culture sophistiquée d'aujourd'hui.

Mais cela nous conduit à nous poser une question très importante: Qu'enseigne la Bible à propos de la discipline et de la vieille nature? Quelle est la position de la Bible?

La Bible. Il faut tout d'abord dire que la Bible est de toute évidence pour la discipline, surtout si l'on se réfère au livre des Proverbes. La Bible recommande aussi vivement les fessées comme moyen efficace de discipliner un enfant. De nombreux versets nous disent de réprimander et de corriger nos enfants. Mais, je crois personnellement que l'auteur des Proverbes ne fait que rarement allusion, si toutefois il le fait, aux très jeunes enfants (jusqu'à trois ans).

Peut-être serez-vous surpris, surtout étant donné que tant de chrétiens utilisent ces versets pour justifier les fessées qu'ils donnent à leurs enfants, pratiquement depuis la naissance. Aujourd'hui, il y a une philosophie qui met le concept de «formation» de Proverbes 22:6 en parallèle avec celui de la fessée, et surtout de l'usage du bâton.

Comprenez-moi bien! Je ne veux pas dire dire que nous ne devrions jamais fesser un enfant, ni même utiliser un bâton ou une canne pour discipliner même les plus jeunes. Cependant, le livre des Proverbes n'enseigne pas ce que pensent de nombreux parents et dirigeants chrétiens.

Si vous étudiez le livre en détail, replaçant chaque verset dans son contexte, vous ferez les observations suivantes:

1. Premièrement, ce livre vise à redresser le mauvais comportement dans la vie d'un garçon plus âgé ou d'un fils assez mûr pour comprendre des pensées profondes et un langage symbolique. Tout au début de ce livre, l'introduction illustre bien ceci:

«Ecoute, mon fils, l'instruction de ton père, et ne rejette pas l'enseignement de ta mère; car c'est un gracieux ruban pour ta tête, ce sont des colliers pour ton cou.

«Mon fils, si des pécheurs veulent te séduire, n'accepte pas. S'ils disent: Viens avec nous, dressons des embûches, versons du sang, tendons sans cause des pièges à l'innocent, engloutissons-les tout vifs, comme le séjour des morts, et tout entiers, comme ceux qui descendent dans la fosse; nous trouverons toute sorte de biens précieux, nous remplirons de butin nos maisons; tu auras ta part avec nous, il n'y aura qu'une bourse pour nous tous! Mon fils, ne te mets pas en chemin avec eux, détourne ton pied de leur sentier; car leurs pieds courent au mal, et ils ont hâte de répandre le sang» (Proverbes 1:8-16).

Il est évident que Salomon ne s'adresse pas à un jeune enfant, mais à un fils qui risque de s'engager dans le vol et même le meurtre. Il en est ainsi tout au long du livre des Proverbes. Il met surtout son fils en garde contre «l'étrangère» et la «courtisane» (voir Proverbes 2:16; 5:1-3; 6:23,24; 7:6-23; 23:26-28); il l'encourage à «faire ta joie de la femme de ta jeunesse» plutôt que «d'être épris d'une courtisane» (5:18-20). Il l'invite à ne pas s'engager à tort dans des prêts à autrui (6:1); il le met aussi en garde contre la paresse et l'engage à travailler, à gagner sa vie (10:1-5); il l'exhorte à accepter la discipline (13:1) et aussi à l'appliquer plus tard quand il aura un fils (13:24; 23:13); il lui dit aussi de prendre garde de ne pas «ruiner son père» ni de «mettre sa mère en fuite» (19:26).

Donc, si l'on considère l'ensemble du livre des Proverbes, il est évident qu'en général, le contenu s'adresse à des enfants déjà grands (aux fils en particulier).

2. La deuxième observation que nous ferons, c'est que la plupart des versets qui font mention d'utiliser le bâton, parlent sans aucun doute d'une forme très sévère de châtiment qui était pratiqué en Israël sur les jeunes gens (et les hommes plus âgés) qui se montraient particulièrement rebelles et dont l'attitude était des plus insensées.

Remarquez bien d'abord que le mot hébreu *naghar* qui est employé dans les Proverbes et qui se traduit par «enfant» dans la plupart des versions françaises est bien souvent rendu par «jeune homme» ou «jeunes gens», ou encore «garçon» maintes fois dans l'Ancien Testament. Bien qu'il arrive que ce mot soit utilisé pour désigner les nouveau-nés, il désigne surtout les enfants plus âgés et les jeunes, surtout les jeunes gens. Si l'on considère le contexte général et spécifique des Proverbes, il est tout à fait légitime de se demander pourquoi on a employé la traduction «enfant» plutôt que «jeune homme» ou «garçon».

Pour être honnête, toutefois, on doit noter qu'il est impossible de décider la moyenne d'âge que représente le mot hébreu traduit par «enfant» dans la plupart des versions du livre des Proverbes. Nous devons nous baser sur le contenu général du livre, qui laisse sous-entendre dans la plupart des cas que l'auteur voulait parler d'enfants plus âgés.

Remarquez bien aussi que les versets qui parlent de bâton comme moyen de correction (ou qui y font allusion) s'appliquent à une discipline très sévère, pour des écarts de conduite assez sérieux.

10:13 «Sur les lèvres de l'homme intelligent se trouve la sagesse, mais le bâton est pour le dos de celui qui est dépourvu de sens.»

13:24 «Celui qui ménage son bâton a de la haine pour son fils, mais celui qui l'aime cherche à le corriger.»

17:10 «Un reproche fait plus d'impression sur l'homme intelligent que cent coups sur l'insensé.»

18:6 «Les lèvres de l'insensé se mêlent aux disputes, et sa bouche appelle les coups.»

19:29 «Les jugements sont prêts pour les moqueurs, et les coups pour les dos des insensés.»

20:30 «Les plaies d'une blessure sont un remède pour le mal; de même les coups (qui pénètrent jusqu'au fond des entrailles).»

22:15 «La stupidité est attachée au cœur de l'enfant; le bâton de la correction l'éloignera de lui.»

23:13 «N'épargne pas la correction au
23:14 jeune garçon; si tu le frappes du bâton, il ne mourra pas. En le frappant du bâton, tu préserveras sa vie du séjour des morts.»

26:3 «Le fouet est pour le cheval, le mors pour l'âne, et le bâton pour le dos des insensés.»

29:15 «Le bâton et la réprimande donnent la sagesse, mais le garçon livré à lui-même fait honte à sa mère.»

Pour bien comprendre l'utilisation du bâton en Israël, nous devons élargir notre champ culturel et biblique. Philip G. Baldensperger, qui a fait des recherches sur ce sujet il y a des années, nous apporte une aide précieuse. Voici ce qu'il dit: «Il existe toutes sortes de verges que les Orientaux ont toujours à la main. . . Citons d'abord. . . le vulgaire bâton de chêne d'environ 1 mètre de long que l'on tient à la main ou sous le bras. . . Les membre du gouvernement, les officiers supérieurs, les percepteurs et les enseignants utilisent ce moyen pour menacer et si besoin est, frapper leurs inférieurs, quels qu'ils soient. Un bon bâton de cette espèce doit avoir quarante nœuds. On lui associe parfois le *sebet* des Hébreux avec lequel l'Israélite châtie son serviteur» (Exode 21:20; voir Proverbes 10:13).

Si ceci est une bonne description de la verge qui était employée dans l'Ancien Testament (et elle s'en rapproche vraisemblablement beaucoup), nous voyons qu'il s'agissait là d'un instrument qui était utilisé pour une discipline très sévère, pour des motifs graves. Il en était de même en Israël, de par le commandement de Dieu. Voyez la loi de Dieu telle qu'elle est donnée en Deutéronome 25:1-3: «Lorsque des hommes auront un procès et se présenteront pour être jugés, on absoudra l'innocent et l'on condamnera le coupable. Si le coupable mérite d'être battu, le juge le fera étendre par terre et frapper en sa présence d'un nombre de coups proportionné à sa culpabilité. Il ne lui fera pas donner plus de quarante coups, de peur que, si l'on continuait à le frapper en allant beaucoup au-delà, ton frère ne soit avili à tes yeux.»

Cette peine se pratiquait encore dans le Nouveau Testament, chez les Gentils comme chez les Juifs. A Philippes, Paul et Silas furent dévêtus par les Romains et «battus de verges» (Actes 16:22). L'apôtre Paul rapporte dans son épître aux Corinthiens que «cinq fois j'ai reçu des Juifs quarante coups moins un» (2 Corinthiens 11:24).

La verge (citée dans la Bible et à laquelle il est fait le plus souvent allusion dans les Proverbes) était utilisée comme moyen de correction pour une conduite vraiment répréhensible. La lapidation était la peine la plus sérieuse infligée à ceux qui avaient commis certains crimes (voir par exemple Lévitique 24:13-14). L'emploi de la verge pouvait entraîner la mort. Nous lisons dans le livre des Proverbes qu'en de pareils cas, un père israélite ne devait pas craindre de battre son fils de cette manière pour le punir d'une mauvaise action et ainsi le préserver de la mort. Salomon écrivait: «N'épargne pas la correction au jeune garçon; si tu le frappes du bâton, il ne mourra pas. En le frappant du bâton, tu préserveras sa vie du séjour des morts» (Proverbes 23:13-14).

Nous devons en conclure que l'application de ces versets dans Proverbes à l'éducation et la discipline d'un enfant ne correspond certainement pas à la pensée de Salomon. Il semble plutôt qu'il s'agissait d'une forme de châtiment destinée à punir certains crimes commis dans la société israélite. Utiliser ces versets pour formuler une philosophie pour l'éducation et la discipline de l'enfant au foyer crée des problèmes particuliers de comportement chez les enfants. Cela attire souvent des critiques de la part de conseillers non-chrétiens qui savent par expérience que ce n'est pas une méthode appropriée.

Qu'est-ce que la vieille nature?

Une autre grave déformation et mauvaise interprétation de l'Ecriture est de prendre les tendances naturelles de l'enfant pour des manifestations de la vieille nature pécheresse. Ce que la Bible enseigne à ce sujet est très clair. Les enfants naissent tous avec une nature pécheresse. Mais qu'est-ce que cette nature? Comment se manifeste-t-elle? Et à quel moment?

Le Docteur Charles Ryrie définit clairement la

vieille nature: «Il vaut mieux dire de la nature qu'elle est une faculté. Ainsi, la vieille nature de la chair est la faculté que tous les hommes ont de servir leur moi et de le satisfaire. On pourrait aussi dire que c'est la faculté de laisser Dieu hors de nos vies. Il ne suffit pas de dire que la nature pécheresse est la faculté de faire le mal, parce qu'elle est plus que cela. Bien des choses ne sont pas nécessairement mal en elles-mêmes, mais découlent de la vieille nature. Elles laissent simplement Dieu de côté. La chair est donc cette vieille faculté qu'ont tous les hommes de vivre une vie qui exclut Dieu. Chez le chrétien, il en est de même.»

La vieille nature est une faculté qui se trouve affectée par les circonstances de la vie. Comme l'enfant mûrit et se développe, cette faculté est aussi touchée par notre milieu. Si l'enfant vit dans un milieu empreint d'attitudes chrétiennes, il aura tendance à revêtir les mêmes caractéristiques, même s'il n'est pas converti. Si par contre, le milieu dans lequel il vit est empreint d'attitudes non-chrétiennes, il en adoptera les caractéristiques.

Souvent les chrétiens évangéliques commettent l'erreur de considérer la vieille nature d'un enfant de deux ans comme étant un signe de péché. Si nous le croyons, c'est parce que nous voyons l'enfant à travers nos yeux d'adulte (notre propre vision). Souvent nous pensons que les références bibliques qui concernent la manifestation dégénérée de la nature pécheresse de l'adulte s'appliquent aussi aux petits enfants depuis leur naissance. Des accès de colère chez l'enfant, par exemple, seront classifiés comme ceux de l'adulte perdant son sang-froid. La même chose s'applique à l'égoïsme chez l'enfant et chez l'adulte. Il en est de même pour la curiosité sexuelle de l'enfant, considérée comme une manifestation semblable à celle des adultes pécheurs. Pour certains chrétiens, ces caractéristiques chez l'enfant prouvent catégoriquement qu'il commet des actes coupables, et que pour s'en débarrasser, il faut les lui arracher. Citons ici Proverbes 22:15: «La stupidité est attachée au cœur de l'enfant; le bâton de la correction l'éloignera de lui». Il est évident que le problème vient du fait que nous ne donnons pas la même définition du mot «stupidité» que l'auteur du livre des Proverbes. Il apparaît clairement en tenant compte du contexte que la «stupidité» dont il parle s'applique aux activités dégénérées des jeunes gens, qui sont décrites dans le livre des Proverbes (voyez le proverbe 26 qui donne une très bonne description d'une conduite stupide).

Qu'est-ce qu'un penchant naturel?

Les psychologues ont, depuis longtemps, remarqué que les enfants passaient par différentes phases, surtout dans leurs premières années. Afin de comprendre le penchant naturel, nous devons comprendre ces différentes phases.

La phase de l'exploration (enfants d'un et deux ans). L'une des phases les plus importantes est celle de l'exploration à l'âge de deux ans qui, dans notre culture, met l'enfant dans des situations critiques. Ces besoins pressants entrent en conflit direct avec les exigences de notre culture. Lorsqu'on impose trop d'interdits à un enfant, de deux choses l'une, ou bien il acquiert une personnalité tranquille, qui coopère et ne pose pas beaucoup de questions ou alors il devient hostile et inquiet, ne cessant de créer des problèmes de discipline. Dans le premier cas, l'enfant semble avoir moins d'énergie, que ce soit sur le plan physique ou des émotions. Dans le deuxième cas, l'enfant déborde d'énergie.

Aucune de ces réactions n'est saine. L'enfant qui n'est pas curieux de nature a besoin d'être stimulé. Par contre, il est nécessaire de canaliser l'énergie de celui qui en a trop. Il faut développer son sens de l'exploration, ce qui plus tard, l'aidera à faire de grands exploits pour le service de Dieu. C'est pourquoi nous devons canaliser, développer, et non «briser» ce désir d'explorer chez l'enfant.

La période de l'imitation (enfants d'un et deux ans). Une autre période naturelle chez l'enfant est celle de l'imitation. La faculté naturelle qu'il a d'imiter se développe pleinement entre l'âge d'un et deux ans. L'enfant imite son entourage. C'est un phénomène qui paraît être subconscient, qui est tout à fait indépendant du raisonnement et se montre bien plus efficace que l'enseignement oral.

Cette période naturelle ne manque pas, dans notre culture, de lui créer de sérieux problèmes. Entre un an et deux ans, l'enfant veut faire tout ce que font son père et sa mère. Quand maman sort les casseroles du placard, lui aussi veut le faire. Quand papa allume la télévision, bébé veut faire comme lui. C'est justement ça qui lui vaut une petite tape sur la main ou un «non» qui prend des accents sérieux. Là encore, l'enfant est pris entre son désir naturel d'explorer et d'imiter et le fait qu'il ne peut le faire.

Il y a aussi un aspect positif à cela. En tant que parents, nous devons être, pour des enfants de cet âge, les modèles vivants de Jésus-Christ. L'enfant nous imite spontanément et naturellement. Il prend nos bonnes habitudes comme nos mauvaises. Si nous nous montrons impatients, il fera lui-même preuve d'impatience. Si nous sommes égoïstes, il fait preuve d'égoïsme. Si nous vivons dans la crainte, notre enfant la ressentira aussi. Si nous levons sans cesse la main sur lui, il ne manquera pas non plus de la lever sur nous.

Cela ne veut pas dire qu'il ne faut jamais fesser un enfant d'un ou deux ans. Cette mesure est parfois nécessaire pour l'empêcher de se faire mal ou de blesser quelqu'un d'autre. Les parents sensés qui comprennent l'importance de ces différentes périodes les accepteront et organiseront l'environnement de l'enfant afin de minimiser le nombre de conflits.

Période d'identification (enfants de 2 et 3 ans). Cette période vient plus tard dans le développement de l'enfant. Au cours de cette phase, l'enfant tend à prendre la personnalité de ses parents. Cette tendance est surtout apparente chez l'enfant de trois ans.

Puisque l'enfant s'identifie en général à ceux qu'il aime et qu'il admire, il est important que les parents et les enseignants établissent avec les enfants des relations qui produisent un sentiment de sécurité et de bien-être. Plus l'enfant sera attiré à vous, plus il aura le désir de vous ressembler.

Développement de la personnalité (enfants de 3 et 4 ans). Une autre période importante pour l'enfant est celle du développement de sa personnalité vers l'âge de 4 ans. Pour la première fois de sa vie, l'enfant prend soudain véritablement conscience de lui-même; il commence à pouvoir critiquer ses propres actions; et il est capable de se contrôler dans la plupart des domaines. Il a la faculté de raisonner et peut comprendre les idées et les concepts.

Il est intéressant de constater que c'est l'âge auquel beaucoup d'enfants se mettent à comprendre l'Evangile, ils reconnaissent qu'ils sont pécheurs par nature et commencent à faire l'expérience de la dualité qui se joue en eux: un attrait conscient pour les actes coupables et le désir de plaire à Dieu.

Du point de vue biblique, c'est un âge très important. C'est à partir de ce moment que la doctrine biblique concernant la vieille nature acquiert toute son importance. La nature d'Adam (qui est en nous depuis la naissance) commence à devenir une véritable force dans la vie de l'enfant, une force que l'enfant ne comprend pas, mais que les parents et les éducateurs chrétiens doivent bien comprendre.

Les Proverbes et le penchant naturel

Nous voyons avec intérêt que les Proverbes parlant aussi du penchant naturel, et il se peut qu'ici le terme «enfant» soit une traduction appropriée. Cependant, ce terme peut également désigner les jeunes gens, car les adolescents traversent aussi des périodes naturelles que les parents doivent reconnaître.

Voici ce qui est écrit dans Proverbes 22:6: «Oriente le jeune garçon sur la voie qu'il doit suivre; même quand il sera vieux, il ne s'en écartera pas.»

De nombreux chrétiens ont mal interprété ce verset. Comme je l'ai déjà dit, certains chrétiens pensent que ce verset fait allusion à l'usage de la verge pour la discipline. Mais voici comment Delitzsch traduit ce verset: «Donne à l'enfant une instruction conforme à la voie qu'il doit suivre; de sorte qu'il ne s'en détourne pas lorsqu'il sera vieux.» Voici ce qu'il dit de ce verset dans son commentaire: «l'instruction, l'éducation des jeunes doit être conforme à leur nature; ce qui doit être enseigné et la façon de le faire devraient s'adapter aux diverses périodes traversées et à leurs particularités. La méthode devrait être en fonction du degré de développement auquel est parvenu le jeune tant sur le plan physique que mental.»

Ce verset parle très clairement du penchant naturel, des périodes naturelles de développement, telles qu'elles ont été créées par Dieu. Si nous coopérons avec ce développement naturel, nous obtiendrons de bons résultats. Si nous n'en tenons pas compte, les résultats que nous aurons seront négatifs.

L'enfant et la discipline jusqu'à trois ans

1. En raison du penchant naturel évident de l'enfant dans ses trois premières années, et particulièrement de sa soif de découvertes, et en raison des obstacles de notre culture qui lui attirent des ennuis, les parents chrétiens devraient faire tout leur possible pour enlever ces barrières de façon à ce que l'enfant ne soit pas en conflit permanent avec son environnement. Ce sont surtout les enfants entre 1 an et 2 ans 1/2 qui sont concernés.

2. Les parents chrétiens devraient utiliser cette tendance naturelle qu'ont les enfants à imiter, plutôt que de s'y opposer. Evitez, par exemple, de créer des situations dans lesquelles vous aurez à afficher un comportement négatif. Lorsqu'un enfant désire imiter vos gestes quotidiens (préparation des repas, laver la voiture, jardinage), donnez-lui l'occasion de participer et même de vous aider.

3. Essayez de dire «non» le moins souvent possible. Réservez-les pour les situations impératives. Selon un psychologue, neuf fois sur dix un «non» aurait pu être évité si les parents avaient réfléchi et prévu la situation avant. N'oubliez pas non plus que dire «non» peut devenir pour les parents une habitude, et perd beaucoup de sa valeur pour l'enfant.

4. Ne soyez pas pressée de sevrer votre enfant du sein, d'un biberon ou de la tétine. On al-

laitait les enfants dans les temps bibliques jusqu'à l'âge de trois ans; bien sûr, de nos jours cette pratique n'est plus acceptable, mais il faut reconnaître qu'elle créait une grande sécurité chez l'enfant. Puisque de nos jours il est recommandé aux mamans de sevrer leur enfant de bonne heure, il est nécessaire de trouver des moyens qui permettent à l'enfant de développer la sécurité qui lui est si nécessaire.

5. Ne forcez pas votre enfant à être propre très tôt. Comptez plutôt sur la faculté qu'il a de vous imiter et de s'identifier à vous. L'enfant désire vous ressembler, ne l'oubliez pas et donnez-lui le bon exemple! Souvenez-vous que l'âge moyen vers lequel un enfant devient propre est trois ans. Ne soyez pas pressés et surtout, n'en faites pas une question d'orgueil personnel!

6. Ne pensez surtout pas que former un enfant veut dire le fesser. Cette théorie provient d'une mauvaise interprétation de l'utilisation du bâton dans le livre des Proverbes. Vous aurez certes l'occasion de donner des fessées à votre enfant, même dans ses premières années; cependant si vous associez ces fessées à son éducation, vous allez en faire votre outil principal plutôt que de l'employer uniquement en dernier ressort, quand il s'impose véritablement.

7. Rappelez-vous que les fessées sont plus efficaces quand l'enfant comprend pourquoi on le frappe. C'est vers l'âge de trois ou quatre ans qu'il est vraiment en mesure de le comprendre. Avant, la fessée est surtout un moyen de condi-

tionnement, c'est-à-dire pour obtenir de l'enfant ce qu'on attend de lui par la crainte des coups. (La mise en condition s'avère parfois nécessaire, en particulier dans notre culture, mais essayez également de l'employer le moins possible. Si vous vous efforcez de tenir compte de la nature de l'enfant et de son point de vue, ces occasions deviendront de moins en moins nombreuses et produiront d'excellents résultats.

8. Traitez un enfant de la manière dont vous aimez être traité. Ne soyez pas plus exigeant pour lui que pour vous. Sachez que lorsqu'il est fatigué, il accuse beaucoup moins les coups que vous. Souvenez-vous que quand il a faim, son besoin est plus grand que le vôtre. Il en est de même pour son système nerveux qui est beaucoup plus fragile que le vôtre. Chaque fois que vous serez tenté de vous fâcher après lui parce qu'il est dans tous ses états, marquez un temps d'arrêt pour réfléchir et vous imaginer dans le même état et essayez d'en déterminer la cause.

9. Cherchez les symptômes que provoquent une discipline trop sévère et une attitude trop rigoureuse envers votre enfant. Les points suivants vous aideront à détecter ces problèmes, et vous permettront en même temps d'y remédier.

   a. Votre enfant est réservé et trop calme,
   b. Votre enfant est agressif et coléreux, il se rebiffe toujours ou bien tape sur les autres,
   c. Votre enfant est hypersensible et peureux,
   d. Votre enfant n'est jamais satisfait de ce qu'il fait. C'est un perfectionniste,

e. Votre enfant retourne sa colère contre lui-même; il a envie de mourir,
f. Votre enfant refuse toute coopération, surtout s'il a trois ou quatre ans,
g. Votre enfant se montre sournois,
h. Votre enfant ne cesse de mal se tenir pour attirer votre attention.

Tous ces symptômes se rencontrent dans la conduite quotidienne; cependant chez l'enfant qui reçoit une discipline trop restrictive, de telles attitudes persistent.

L'enfant et la discipline à partir de trois ans

1. Les fessées sont nécessaires pour la plupart des enfants au cours de leur croissance et de leur développement. Cependant, si vous vous trouvez dans l'obligation de donner des fessées régulières à un enfant sans pour autant en obtenir des résultats positifs, il est dans ce cas fort possible que vous ayez affaire à un enfant qui se comporte mal par suite de trop grandes restrictions lorsqu'il était plus jeune. Il se peut également qu'il exprime le besoin d'attention. Peut-être aussi n'a-t-il attiré l'attention que dans les moments où il vous irritait lorsqu'il était tout petit. Si c'est le cas, il va vous falloir adopter un autre système: ignorer, par exemple, ce qu'il fait de mal (lorsque cela est possible) et lui faire des compliments lorsqu'il agit bien.

Il est vrai aussi que certains enfants qui se tiennent mal par suite d'une mauvaise discipline quand ils étaient tout petits, ne peuvent être redressés que par de bonnes fessées administrées régulièrement. Néanmoins, si les résultats ne se manifestent pas assez rapidement, assurez-vous que vous n'êtes pas en train d'envenimer la situation. Cherchez de l'aide auprès d'un conseiller compétent.

2. Les enfants un peu plus âgés (de six à neuf ans surtout) qui ne se sentent pas en sécurité, qui sont coléreux et hypersensibles, vont sans cesse essayer d'irriter leurs parents pour prendre leur revanche. Il vous faudra peut-être ignorer cette conduite et surtout ne pas prendre cela personnellement.

3. Appliquez une discipline logique. Assurez-vous que vos menaces soient justifiées. Ne leur dites pas: «Si jamais tu le refais, tu auras une fessée» si la punition n'est pas en proportion avec la faute commise. Réfléchissez bien avant de menacer un enfant. Puis faites ce que vous avez dit, à moins que vous n'ayez été trop excessif. N'oubliez pas qu'une discipline contraire à la logique crée une réelle insécurité chez l'enfant, souvent l'insécurité engendre la colère.

4. Si vos enfants sont des adolescents, discutez avec eux ce qui vous inquiète, et si possible trouvez ensemble des solutions acceptables et des mesures de discipline. S'il n'y a pas de coopération de leur part, envisagez des mesures raisonnables et demandez qu'on les respecte. Si ces mesures ne sont pas respectées, sévissez sans faiblir.

(Dans notre culture, la plupart des adolescents réagissent bien à toute mesure disciplinaire qui n'est pas pas corporelle.)

5. Souvenez-vous que le livre des Proverbes

traite de comportements extrêmes et présente des formes de correction adoptées aux lois civiles de la société d'Israël. La plupart des parents chrétiens n'auront jamais à faire appel à ces punitions extrêmes s'ils suivent les principes du christianisme et si la présence de Jésus se manifeste dans leur mode de vie.

9
ATTELAGES DISPARATES,
quelques directives bibliques

La Bible nous dit ce qu'il faut faire pour réussir son mariage et sa vie de famille, autant que cela est possible dans un monde contaminé par le péché, mais en général la vie ne comprend pas de situations idéales. Prenons par exemple le cas de Jeanne mariée à un non-chrétien. Elle est née de nouveau depuis peu de temps et son mari pense que c'est une exaltée. En fait, il se sent menacé par cet événement, surtout depuis qu'elle lui parle de ses nouveaux amis chrétiens.

La situation de Jean est différente. Cela fait longtemps qu'il est chrétien, depuis l'âge de six ans. Il a grandi dans un foyer chrétien équilibré et a reçu un très bon enseignement biblique dans son Eglise. Il a entendu de nombreux messages et assisté à maintes classes d'école du dimanche qui traitaient du problème d'épouser quelqu'un qui n'est pas chrétien. Il avait même appris par cœur le verset tiré de la deuxième épître aux Corinthiens qui dit: «Ne formez pas avec les incroyants un attelage disparate» (2 Corinthiens 6:14).

Pourtant, il rencontra une fille charmante au lycée, se lia d'amitié avec elle et éventuellement l'épousa, en espérant qu'elle se convertirait bientôt, mais elle n'a jamais fait ce pas. En fait, elle ne l'accompagne jamais à l'Eglise, s'oppose à la lecture de la Bible avec les enfants, et, en règle générale redoute toute conversation spirituelle. Il est inutile de dire que Jean n'est pas heureux en ménage.

La situation de Jeanette est elle aussi différente. Son mari se dit chrétien, mais il ne montre que peu d'intérêt pour les choses spirituelles. Ce n'est jamais lui qui prend l'initiative dans ce domaine; il ne prie jamais avec sa famille, ne lit jamais la Bible, seul ou en famille, n'encourage jamais les autres à assister régulièrement aux réunions. Il ne s'oppose certes pas à l'engagement de Jeanette, il reste simplement indifférent. Il ne manifeste aucun intérêt, aucun enthousiasme, seulement de l'indifférence.

Puis il y a Robert. Il est chrétien, mais sa femme ne l'est pas. A cause de sa foi en Christ et de son engagement, elle veut divorcer et ceci le plus tôt possible. Elle déclare qu'ils n'ont plus rien en commun, qu'ils n'ont plus qu'à recommencer chacun de leur côté avec quelqu'un d'autre! Robert aime sa femme, et cette situation lui brise le cœur.

Toutes ces situations, et bien d'autres encore, existent avec une infinie variété de problèmes qui empêchent les relations familiales et la vie de famille d'être idéales. A côté des cas que nous venons de voir, nous trouvons aussi les innombrables couples chrétiens qui continuent simplement de vivre ensemble, bien qu'ils ont depuis longtemps perdu tout attrait mutuel et la vie ne leur semble plus passionnante. Dans la plupart des cas, ils restent ensemble «à cause des enfants», ou parce qu'ils pensent qu'il n'est pas bien de se séparer ou de divorcer.

Que peuvent faire les gens dans de telles circonstances? La Bible offre-t-elle des solutions? Par bonheur, elle le fait! Nous avons déjà examiné les plus importantes d'entre elles. Dans le mariage, pour connaître l'idéal que nous offre Dieu sur terre, l'amour et le respect réciproques doivent exister. Cela opère dans les deux sens. Les maris doivent aimer leurs femmes comme Christ a aimé; et les femmes doivent se soumettre à leurs maris comme l'Eglise se soumet à Christ. Lorsque ce principe est partagé, un amour et un respect plus grands se développent. Mais lorsqu'il est à sens unique, que l'un est égoïste et l'autre ne l'est pas, que c'est toujours le même qui donne et le même qui reçoit, la détérioration des relations du couple est inévitable. Même le chrétien le plus fort risque de s'écrouler si un régime de cette nature se prolonge.

Il y a cependant des principes bibliques qui aideront les chrétiens à franchir ces barrières difficiles et aussi à résoudre des problèmes qui paraissent insurmontables.

Stratégie biblique

L'apôtre Pierre donna des instructions précises aux chrétiens qui avaient des conjoints non convertis. Il insiste d'abord sur un témoignage «visuel» plutôt qu'«oral». Il s'adresse en premier lieu aux femmes: «Vous de même, femmes, soyez soumises chacune à votre mari, afin que même si quelques-uns n'obéissent pas à la parole, ils soient gagnés sans parole, par la conduite de leur femme» (1 Pierre 3:1).

Pierre énonce ensuite clairement comment elles doivent se conduire. Il parle d'une conduite «pure» et «respectueuse»; c'est à dire une vie de pureté morale (donc de fidélité sexuelle). La femme devrait vivre une vie qui reflète la crainte de Dieu. Et bien que Pierre ne dise pas que la femme ne devrait pas se parer extérieurement, il insiste sur la beauté intérieure (un esprit doux et tranquille), les qualités qui plaisent vraiment à Dieu et à l'homme. C'est cela, ajoute Pierre, qui peut gagner un mari non-chrétien à Jésus-Christ.

Il y a là, pour les hommes comme pour les femmes, une très bonne leçon à apprendre. Pour les hommes, la beauté extérieure (que Pierre appelle la «parure extérieure qui consiste dans les cheveux tressés, les ornements d'or, ou les habits qu'on revêt», verset 3) est attirante et faite pour leur plaire, mais elle peut être illusoire. Les bons mariages ne reposent pas sur l'aspect extérieur et n'en dépendent pas. Il est possible qu'une femme attire le regard d'un homme par sa beauté extérieure, mais si elle veut vraiment retenir son attention, c'est sa personnalité qui compte davantage. Le monde avec sa publicité a renversé ce concept, parce qu'il opère d'un point de vue superficiel et existentialiste. Pour eux, seul l'instant présent compte, la brève liaison amoureuse, une vie de divertissements, ce qui n'a rien à voir avec la réalité.

Malheureusement et il n'est pas facile de l'admettre, on trompe facilement la plupart des hommes. Nous nous laissons influencer par la beauté extérieure au point d'en oublier la réalité. Nous pensons d'une manière existentielle. Nous pouvons nous montrer très égoïstes et superficiels dans nos relations avec les femmes. C'est pourquoi tant d'hommes «utilisent» les femmes, ils les aiment puis les abandonnent.

Mais au fond de lui-même, ce n'est pas cela que l'homme désire, ni ce qui l'impressionne. Qu'il soit chrétien ou pas, qu'il soit spirituel ou charnel, il est attiré par «la parure personnelle inaltérable d'un esprit doux et tranquille» (1 Pierre 3:4).

La beauté extérieure est attrayante; elle attire tout d'abord l'attention. Et elle peut être un facteur important pour amener un homme à l'autel. Cependant, elle ne soutiendra pas toujours le mariage. En fait, rien ne répugne davantage à un homme et ne peut étouffer ses sentiments les plus profonds, qu'une femme belle à l'extérieur et laide à l'intérieur. L'impact de la beauté extérieure disparaît rapidement lorsqu'il n'y a pas de beauté intérieure.

Qu'est-ce que la beauté intérieure? Que veut dire Pierre lorsqu'il parle d'un «esprit doux et tranquille»? La meilleure illustration est peut-être d'expliquer ce qu'elle n'est pas. Une femme qui critique et harcèle toujours son mari ne répond pas à la description de Pierre. La femme à la voix haute et dure qui crie après ses enfants et son mari n'y répond pas non plus. La voix dure et tranchante d'une femme peut littéralement contribuer à détruire la relation avec son mari et ses enfants. Une femme qui humilie son mari en public, l'embarrasse et n'essaie pas de protéger sa confiance peut ruiner un assez bon mariage.

Je connais des hommes qui sont tellement rebutés par de telles attitudes que le soir, ils ne veulent plus rentrer chez eux. Ils quittent la ville lors de leur jour de congé. Ils font tout leur possible pour ne pas se trouver auprès de leur femme. Ils ne communiquent que quand c'est absolument nécessaire. Si l'homme n'a pas des principes moraux très élevés, il sera une proie facile pour une autre femme, de préférence quelqu'un qui soit sensible, qui sache écouter et qui fasse preuve de compréhension. Ce qui est à la fois comique et triste, c'est que les femmes insensibles dont les maris ont adopté cette attitude se sentent encore moins en sécurité et se mettent à crier plus fort, ce qui devient un cercle vicieux.

Messieurs, ceci est une voie à double sens!

Bien que Pierre se soit tout d'abord adressé aux femmes de l'époque du Nouveau Testament qui étaient mariées à des inconvertis, l'apôtre n'en a pas moins ajouté quelques mots à l'attention des hommes: «Vous de même, maris, vivez chacun avec votre femme» (1 Pierre 3:7). Autrement dit, ce n'est pas en adoptant une attitude insensible, exigeante et égoïste qu'un mari chrétien pourra gagner sa femme inconvertie à Christ. Il doit l'aimer comme Christ a aimé l'Eglise, même si elle n'est pas chrétienne. Après tout, c'est ce que le Christ a fait pour nous. Alors que nous étions encore pécheurs, Il est mort pour nous (Romains 5:8).

Remarquez le contexte dans lequel Pierre exhorte les femmes et les maris. Il avait déclaré plus tôt dans son épître: «Au milieu des païens, ayez une bonne conduite, afin que, là où ils vous calomnient comme faisant le mal, ils voient vos œuvres bonnes, et glorifient Dieu au jour de sa visite» (1 Pierre 2:12). Paul continue en disant que, parmi ces païens, se trouvaient des rois (2:13), des gouverneurs (2:14), les maîtres des serviteurs (2:18) et des maris non chrétiens (3:1-7).

Quand les souffrances paraissent insupportables, Pierre rappelle aux chrétiens de penser à Jésus-Christ: «Mais si, tout en faisant le bien, vous supportez la souffrance, c'est une grâce devant Dieu. C'est à cela, en effet, que vous avez été appelés, parce que Christ lui aussi a souffert pour vous et vous a laissé un exemple, afin que vous suiviez ses traces; lui qui n'a pas commis de péché, et dans la bouche duquel il ne s'est pas trouvé de fraude; lui qui, insulté, ne rendait pas l'insulte; souffrant, ne faisait pas de menaces, mais s'en remettait à Celui qui juge justement; lui qui a porté nos péchés en son corps sur le bois, afin que, morts à nos péchés, nous vivions pour la justice; lui dont la meurtrissure vous a guéris. Car vous étiez comme des brebis errantes, mais maintenant, vous êtes retournés vers le berger et le gardien de vos âmes» (1 Pierre 2:20-25).

Après l'argument descriptif et fondé sur le Christ pour la soumission aux autorités non-chrétiennes, l'apôtre aborde immédiatement le mariage et déclare: «Vous de même, femmes, soyez soumises chacune à votre mari, afin que même si quelques-uns n'obéissent pas à la parole, ils soient gagnés sans parole, par la conduite de leur femme» (1 Pierre 3:1). Jésus-Christ est donc l'exemple parfait des relations que nous devons avoir avec les non-chrétiens, et même avec notre conjoint inconverti.

Quelle est donc, pour une femme, la meilleure façon de gagner son mari non sauvé à Jésus-Christ? Voici ce que dit Pierre: «Soyez une bonne épouse», comme si vous étiez mariée à un chrétien. Aimez-le! Soyez-lui soumise! Honorez-le! Respectez-le! Soyez loyale envers lui! Faites preuve d'un esprit doux et tranquille. Suivez l'exemple des saintes femmes d'autrefois. «Ainsi se paraient autrefois les saintes femmes qui espéraient en Dieu, soumises à leur mari, telle Sara qui obéissait à Abraham et l'appelait son seigneur. C'est d'elle que vous êtes devenues les descendantes, si vous faites le bien, sans vous laisser troubler par aucune crainte» (1 Pierre 3:5-6).

Dans certaines circonstances, une femme peut facilement devenir craintive lorsque son conjoint n'est pas chrétien. Cela s'appliquait surtout à la culture néo-testamentaire. Il arrivait que la vie même de la femme soit en danger. On pouvait disposer facilement d'une femme désobéissante, et pas seulement en lui demandant de partir. Dans certains cas, c'était une question de vie et de mort.

Au vingtième siècle, nous trouvons des situations semblables. Les instructions de Pierre sont toujours valables de nos jours; bien que les facteurs culturels changent, les principes restent les mêmes et s'appliquent toujours. Et si une solution est possible, celle-là le sera d'autant plus. Bien dur serait le cœur d'un homme (ou d'une femme) qui ne répondrait pas à l'amour de Christ démontré de façon sincère et continue, même quand ce n'est pas réciproque.

Quelques questions propres au vingtième siècle

Parler de principes bibliques et d'idéal chrétien est une chose, mais se débattre avec les problèmes de la vie quotidienne en est une autre. Parfois, des situations difficiles dont les solutions ne sont pas évidentes, se présentent. Mais il nous est possible d'en affronter certaines de manière satisfaisante.

1. Que se passe-t-il si les résultats ne se font

pas ressentir malgré la mise en pratique du procédé de l'apôtre Pierre? Et si la situation venait à empirer?

D'abord, nous devons nous rappeler que Dieu ne nous a pas garanti de réponse spécifique. Il ne nous a pas dit que le conjoint non sauvé recevrait Christ, ou que son comportement s'améliorerait. Toutefois, la plupart des gens (s'ils sont humains et sains d'esprit) réagiront éventuellement de façon plus positive devant une attitude chrétienne. Et comme Salomon nous le rappelle dans les Proverbes: «Une réponse douce calme la fureur, mais une parole blessante excite la colère» (Proverbes 15:1).

La situation s'aggrave quelquefois. En fait, certaines personnes sont tellement hargneuses ou égoïstes et se sentent si peu en sécurité, qu'elles exercent davantage de pression rien que pour mettre à l'épreuve les motifs, elles veulent vérifier si cette présumée gentillesse est feinte ou réelle. Soyez prêts! Il se peut que la situation empire avant de s'améliorer.

2. Et s'il n'y a pas de résultat du tout? Combien de temps un chrétien devrait-il endurer une telle situation?

Tout d'abord, si aucun résultat ne se manifeste, un chrétien devrait s'assurer qu'il suit bien l'exemple de Christ. Il est des gens qui ont une curieuse idée du christianisme. Leur gentillesse durera une journée, une semaine peut-être, puis les vieilles habitudes reprendront le dessus. Ensuite, ils vont se demander pourquoi ils n'obtiennent pas de résultat. Ce qui impressionne un non-croyant, c'est la constance dans les attitudes chrétiennes, et non pas des accès de gentillesse et de bonté. L'inconstance d'ailleurs peut causer la confusion.

Il faut vous examiner! Pour cela, utilisez la liste suivante. Dans la mesure du possible, avez-vous, avec l'aide de Dieu, éliminé ces caractéristiques négatives de votre vie conjugale et familiale? Avez-vous recherché le Seigneur dans vos prières, Lui demandant de vous aider à devenir ce genre de personne? Etudiez-vous régulièrement la Bible et avez-vous une période de communion fraternelle avec d'autres chrétiens pour y trouver les encouragements dont vous avez besoin pour être un chrétien équilibré?

Liste pour l'épouse chrétienne. Les points suivants sont destinés à vous aider à évaluer vos attitudes et votre conduite envers votre mari qui n'est pas chrétien:

- ☐ Je ne harcèle pas mon mari.
- ☐ Je ne suis pas jalouse de ses amis ou de son travail.
- ☐ Je ne me plains pas de son emploi du temps.
- ☐ Je ne montre pas un manque de confiance en lui.
- ☐ Je ne le mets pas dans l'embarras en public.
- ☐ Je ne lui réponds pas sur un ton qui marque l'amertume ou la rancœur.
- ☐ Je ne le critique pas devant les autres.
- ☐ Je ne crie pas après lui.
- ☐ Je n'exige pas qu'il me cède.
- ☐ Je ne discute pas avec lui.

- ☐ Je ne consacre pas le temps que je lui dois à mes amis ou mes activités.
- ☐ Je soigne notre intérieur.
- ☐ J'essaye de faire de mon foyer un endroit confortable.
- ☐ Je ne me refuse pas à lui s'il me désire physiquement.
- ☐ Je ne l'humilie pas devant les autres ou en privé.
- ☐ Je soigne mon aspect physique.
- ☐ Je ne dépense pas de l'argent inconsidérément.
- ☐ J'évite de lui parler de mes merveilleux amis chrétiens.
- ☐ Je veille à ce que personne ne vienne troubler les relations que j'ai avec mon mari et ma famille.

Liste pour l'époux chrétien. Les points suivants sont destinés à vous aider à évaluer vos attitudes et votre conduite envers votre femme qui n'est pas chrétienne:

- ☐ Je gagne assez d'argent pour couvrir les frais domestiques et ses petites dépenses personnelles.
- ☐ Je lui fais confiance pour l'entretien de la maison.
- ☐ Je fais en sorte que mon emploi du temps me permette de lui consacrer suffisamment de temps.
- ☐ Je suis courtois envers elle et la traite toujours comme une dame.
- ☐ Je prends soin de mon aspect physique.
- ☐ Je lui dis chaque fois que je le peux que je pense souvent à elle.

- ☐ J'écoute ses plaintes sans me sentir menacé.
- ☐ Je la mets au courant de ce que je fais, je lui dis où je vais et lui fais part de mon programme de chaque jour.
- ☐ Je suis à l'heure pour les repas, et s'il y a une urgence je la préviens à l'avance.
- ☐ Je m'occupe des enfants.
- ☐ J'essaye d'aider ma femme dans les travaux ménagers, et m'occupe des gros travaux.
- ☐ Je cherche des occasions pour la sortir de la routine et de la maison, seule ou avec des amies.
- ☐ Je me ménage du temps avec elle en tête à tête.
- ☐ Je ne me montre pas jaloux de ses amies.
- ☐ Je ne crie pas après elle, n'exige pas d'elle plus qu'elle ne peut donner et ne la maltraite pas.
- ☐ Je n'emploie pas la force pour imposer ma volonté.
- ☐ J'évite de lui parler d'autres femmes, surtout des femmes chrétiennes merveilleuses que je connais.

3. Bien que j'aie fait tout cela, je me trouve toujours dans une situation insupportable. Que dois-je faire?

Tout d'abord, il convient de définir ce que vous entendez par «insupportable». Certaines personnes décident que sous prétexte qu'elles ne sont pas heureuses, leur situation est insupportable. C'est une situation qu'il nous est impossible de tolérer plus longtemps, tant sur le plan physique, sentimental que spirituel.

Si tel est votre cas, cherchez de l'aide auprès d'autres chrétiens mûrs, surtout auprès des anciens de l'Eglise. Ils ont pour responsabilité de vous aider à évaluer votre situation. Il arrive que la situation soit vraiment impossible. Certaines personnes sont tellement malades spirituellement et psychologiquement, qu'elles parviennent à ruiner la santé morale, spirituelle et physique d'autrui, quoi que vous puissiez faire. Dans ce cas, le non-chrétien (ou le chrétien) a besoin que vous l'aidiez à se rendre compte (avec amour) que sa réaction n'est pas appropriée ni convenable. Mais n'oubliez pas que vous devez vous préparer à subir les conséquences d'une telle action.

4. Que faire si mon conjoint non converti veut partir, s'il veut divorcer?

Paul a répondu de manière très spécifique à cette question dans la première épître aux Corinthiens: «Si un frère a une femme non-croyante, et qu'elle consente à habiter avec lui, qu'il ne la répudie pas; et si une femme a un mari non-croyant, et qu'il consente à habiter avec elle, qu'elle ne répudie pas son mari. Car le mari non-croyant est sanctifié par la femme, et la femme non-croyante est sanctifiée par le frère, autrement, vos enfants seraient impurs, tandis qu'en fait ils sont saints. Si le non-croyant se sépare, qu'il se sépare; le frère ou la sœur n'est pas lié en pareil cas. Dieu nous a appelés (à vivre) dans la paix» (1 Corinthiens 7:12-15).

Un dernier mot

Il est bien entendu que les listes précédentes sont destinées à des chrétiens mariés à des non-croyants, mais elles peuvent s'adresser tout aussi bien à des chrétiens mariés à des croyants. Un couple qui essayera de mettre en pratique ces principes sans jamais s'en éloigner, découvrira dans son union un bonheur et une harmonie extraordinaires.

Une autre situation appelle notre attention. Que se passe-t-il dans le cas où le mari et la femme sont tous deux chrétiens, mais que l'un soit spirituel et l'autre charnel, ce qui ne manque pas de créer tensions et problèmes dans le foyer? Deux suggestions se présentent à nous. La première, c'est qu'il vous faudra essayer de vivre de la même manière que si votre conjoint n'était pas chrétien. Et la deuxième, si aucun résultat n'apparaissait au bout d'un certain temps, c'est de rechercher l'aide des anciens de l'Eglise, car cette situation est du ressort de la discipline de l'Eglise. Un chrétien qui fait partie d'un corps local de croyants et qui vit dans le péché (et maltraiter un conjoint chrétien est un péché) devrait être repris avec bienveillance mais fermeté pour ce péché (Galates 6:1-2).

Projets de famille ou de groupe

En tant que couple chrétien, évaluez-vous mutuellement à l'aide des deux listes que je vous ai données. Voyez les points où vous pensez que votre conjoint peut s'améliorer. Puis discutez pourquoi cette amélioration est nécessaire et comment vous pourrez y parvenir.

Si vous êtes célibataire, la plus grande leçon que voussiez tirer de ce passage de l'Ecriture dans 1 Pierre se trouve dans le verset que Paul écrit aux Corinthiens: «Ne formez pas avec les incroyants un attelage disparate» (2 Corinthiens 6:14).

10
LE PARENT CELIBATAIRE,
quelques conseils bibliques

Jeanne est divorcée. Elle a trois enfants, vit dans un appartement qu'elle a loué et travaille quarante heures par semaine en tant que réceptionniste dans un bureau en ville. La pension alimentaire qu'elle reçoit pour ses enfants est minime, mais elle arrive à s'en sortir. Une fois ses factures payées, elle se considère heureuse s'il lui reste un peu d'argent pour acheter un petit quelque chose pour ses enfants; mais elle a au moins pu subvenir aux besoins de sa famille. Et, depuis qu'elle est chrétienne, elle met de côté un certain pourcentage de son revenu mensuel pour le service du Seigneur, une nouvelle expérience pour Jeanne qui a été surprise de voir comment Dieu l'avait bénie pour avoir fait ce pas de foi.

Cela fait un an que Jeanne est chrétienne. Deux ans auparavant, son mari l'a quittée, elle et ses enfants, pour aller vivre avec une autre femme, ce qui entraîna le divorce. Depuis qu'elle connaît Christ comme son Sauveur personnel, Jeanne a une nouvelle espérance. Avant de devenir chrétienne, Jeanne se sentait seule et son cœur était plein d'amertume. Et bien qu'elle se débatte encore avec les problèmes passés et présents, elle voit maintenant la vie sous un autre angle. Parfois, la route est dure; ce n'est pas facile d'être à la fois mère et père de ses enfants, mais elle a pris la résolution de faire face aux problèmes qui se présentent. Le verset qu'elle préfère est Philippiens 4:13: «Je puis tout par celui qui me fortifie.» Elle se le récite souvent, car il arrive fréquemment qu'elle ne se sente pas le courage d'affronter une nouvelle journée, mais elle le trouve toujours.

Cette histoire vraie s'applique à beaucoup d'autres personnes, qui doivent affronter la vie en tant que parent célibataire. Comme le taux des divorces ne cesse d'augmenter à une vitesse vertigineuse dans le monde occidental, ainsi le nombre de situations augmente où l'un des deux parents reste avec la responsabilité d'élever les enfants, de gagner sa vie et d'affronter seul la tâche que Dieu avait assignée à deux personnes.

D'un point de vue chrétien, que peut-on dire pour encourager ces personnes? Comment pouvons-nous tous, en tant que membres du corps de Christ, aider les parents célibataires? Que doivent-ils faire pour aborder leurs problèmes de façon sérieuse? Voilà des questions auxquelles nous nous devons de répondre en tant que chrétiens.

Perspective biblique

La Bible nous donne de nombreuses recommandations et beaucoup d'illustrations concernant la responsabilité que doit avoir chaque membre du corps de Christ pour autrui. Ecoutons Paul: «En effet, comme le corps est un, tout en ayant plusieurs membres, et comme tous les membres du corps, malgré leur nombre, ne sont qu'un seul corps... L'œil ne peut pas dire à la main: Je n'ai pas besoin de toi; ni la tête dire aux pieds: Je n'ai pas besoin de vous. Mais bien plutôt, les membres du corps qui paraissent être les plus faibles sont nécessaires; et ceux que nous estimons être les moins honorables du corps, nous les entourons d'un plus grand honneur. Ainsi nos membres les moins décents sont traités avec le plus de décence, tandis que ceux qui sont décents n'en ont pas besoin. Dieu a disposé le corps de manière à donner plus d'honneur à ce qui en manquait, afin qu'il n'y ait pas de division dans le corps, mais que les membres aient également soin les uns des autres. Et si un membre souffre, tous les membres souffrent avec lui; si un membre est honoré, tous les membres se réjouissent avec lui» (1 Corinthiens 12:12, 21-26).

Tout ceci est très clair. Nous sommes tous membres du corps de Christ, le parent célibataire aussi. Nous trouvons dans les Ecritures deux illustrations qui encouragent surtout les parents célibataires, et tous les chrétiens. Bien que nous ne puissions être sûrs de tous les détails, suffisamment de renseignements nous sont donnés dans ces récits bibliques pour que les parents célibataires et autres chrétiens en contact avec eux y trouvent les motivations et les conseils dont ils ont besoin.

Lydie, marchande de pourpre (Actes 16:11-15). Lydie fut la première personne convertie par Paul à Philippes. C'était une femme d'affaires, «une marchande de pourpre de la ville de Thyatire» (Actes 16:14). Paul la rencontra à une réunion de prière, au bord d'une rivière en dehors de la ville de Philippes. Bien qu'elle était une femme pieuse qui adorait Dieu, elle n'était pas encore chrétienne. Mais lorsqu'elle entendit Paul apporter la bonne nouvelle du salut, elle accueillit Christ dans sa vie comme son Sauveur personnel. Voici ce que nous lisons: «Le Seigneur lui ouvrit le cœur, pour qu'elle s'attache à ce que disait Paul» (16:14).

Nous ne savons pas grand-chose de la situation familiale de Lydie. Nous ne pouvons que l'imaginer. Tout laisse penser dans les Ecritures que Lydie était célibataire. Il semble évident qu'elle avait une famille qui croyait en l'Evangile, car Luc mentionne au verset 15 qu'elle et sa famille furent baptisés.

Après sa conversion et celle des membres de sa famille, elle invita Paul et ses compagnons à demeurer dans sa maison. Elle insiste même: «Si vous me jugez fidèle au Seigneur, leur dit-elle, entrez dans ma maison et demeurez-y.» Et un peu plus loin nous lisons: «Elle nous pressa très instamment» (verset 15). Et comme on pouvait le penser, Paul et ses compagnons d'œuvre acceptèrent son invitation. Il se peut que la maison de Lydie ait été le lieu où débuta l'église de Philippes.

Si vraiment Lydie fut un exemple de parent célibataire, et ceci est des plus probables, nous pouvons en tirer quelques observations significatives.

La première, c'est que Lydie était une femme d'affaires qui réussissait, une marchande de pourpre. Il n'était pas question que son statut familial l'empêche de se comporter en personne responsable. Sans l'ombre d'un doute, elle assumait la seule responsabilité de pourvoir aux besoins des siens.

La seconde, c'est que Lydie avait de toute évidence une influence très marquée sur ses enfants et les autres personnes de sa maisonnée. Eux aussi croyaient en l'Evangile. En tant que femme, elle avait la même influence qu'avaient la plupart des pères dans les foyers, au premier siècle. Ce n'était pas l'absence d'un homme qui allait l'empêcher de faire en sorte que ses enfants la respectent et suivent son exemple dans les décisions qu'ils avaient à prendre.

Troisièmement, Lydie fit tout de suite preuve d'hospitalité chrétienne, ouvrant la porte de sa maison à Paul et ses compagnons de service. Là non plus ce n'est pas son statut familial qui va l'empêcher de servir le Seigneur.

Quatrièmement, Lydie, même avant de devenir chrétienne, avait le cœur tourné vers Dieu.

Elle avait déjà ce désir de Le mettre en premier dans sa vie. Quand elle devint chrétienne, ses priorités étaient très claires.

Tout cela veut dire que Lydie ne permit pas à une culture dominée par l'homme de lui retirer le droit de réussir dans son rôle de parent célibataire. Elle organisa ses priorités et fit le nécessaire. Dieu honora ses efforts et lui permit même de devenir la première convertie au christianisme de toute la région.

Eunice, mère de Timothée (Actes 16:1; 2 Timothée 1:5; 3:14-15). La situation familiale d'Eunice se présente de façon tout à fait différente. Elle était un parent célibataire, en ce sens qu'elle était responsable de l'éducation spirituelle de son jeune fils Timothée. Son mari n'était vraisemblablement pas chrétien. Dans le livre des Actes, nous lisons qu'elle était juive et croyante, mais que son mari était grec (16:1).

Nous trouvons de nos jours de nombreuses familles qui sont dans le même cas. Beaucoup de femmes ont accepté le Christ comme leur Sauveur personnel, tandis que leurs maris sont encore païens. Il paraît bien évident, même s'il est un très bon mari et père, que la responsabilité principale de l'éducation spirituelle de ses enfants revient à sa compagne chrétienne.

C'est ce qui se produisit dans le foyer de Timothée. Sa mère s'occupait très bien de la tâche spirituelle qui lui incombait. C'était une sainte femme, une femme de foi (2 Timothée 1:5). C'est certainement à la bonne éducation qu'elle a donnée à son fils de façon constante que Paul fait allusion quand, plus tard, il écrivit à Timothée, alors adulte: «Toi, reste attaché à ce que tu as appris, et qui est l'objet de ta foi; tu sais de qui tu l'as appris: depuis ton enfance, tu connais les Ecrits sacrés; ils peuvent te donner la sagesse en vue du salut par la foi en Christ-Jésus» (2 Timothée 3:14-15).

Le plan divin idéal est que les deux parents participent à l'éducation chrétienne de l'enfant, surtout le père (Ephésiens 6:4), mais cela n'est pas toujours possible, comme nous le montre cet exemple biblique. Eunice nous prouve de façon très claire qu'il est possible d'élever les enfants suivant les instructions du Seigneur, même si l'un des deux parents n'est pas chrétien.

Certes, il est des situations qui sont beaucoup plus difficiles, surtout si le conjoint non-chrétien est hostile à Dieu et à Son Fils, Jésus-Christ.

Quelques conseils pratiques à l'attention du parent célibataire de notre époque

Les Ecritures sont claires: le parent célibataire peut réussir, soit qu'il ait l'entière responsabilité de la tâche, n'ayant plus de conjoint; soit qu'il ait cette responsabilité spirituelle sans l'aide de son conjoint non-chrétien. Rappelez-vous qu'en tant que chrétien, vous n'êtes pas vraiment seul. Jésus-Christ est dans votre vie et jamais Il ne vous abandonnera. Ensuite vous êtes membre du corps de Christ; vous êtes lié à d'autres chrétiens qui peuvent et doivent vous aider à porter votre fardeau.

Ne vous laissez pas prendre au piège de la culpabilité. De nombreux parents célibataires sont en proie à des sentiments de culpabilité à cause de leur vie passée. Il est certain que vous avez sans doute joué votre rôle dans votre divorce. Regardons la situation bien en face; la «victime innocente» n'existe vraisemblablement pas. Nous échouons tous à cause de notre condition humaine.

Mais n'oublions pas que Jésus-Christ est mort pour nous laver de nos péchés. Son sang a été versé afin que nous soyons purifiés. Et «si nous confessons nos péchés, il est fidèle et juste pour nous pardonner nos péchés et nous purifier de toute injustice» (1 Jean 1:9).

Quel que soit votre péché, quelle que soit la part que vous avez eue pour vous mettre dans votre situation présente, le sang de Jésus suffit à vous purifier. Ne vous laissez pas prendre dans le piège de la culpabilité. Ne continuez pas à vous punir pour vos péchés. Jésus a déjà subi la punition pour vous. La culpabilité ne doit pas vous empêcher de faire tout votre possible pour corriger les erreurs du passé. Vous êtes libre! Croyez-le et commencez à agir en vous appuyant sur cette réalité.

Ne vous apitoyez pas sur votre sort. Bien sûr, la vie peut vous paraître particulièrement difficile en tant que parent célibataire. Les contraintes sont parfois insupportables. La vie vous semble impossible. Mais si vous vous apitoyez sur votre sort, vous ne ferez qu'aggraver votre situation. Certaines personnes dépensent beaucoup d'énergie à ruminer sur leurs problèmes, au lieu d'utiliser cette énergie à les résoudre.

Surmontez toute colère, tout sentiment d'amertume. Nourrir en permanence des sentiments de rancœur, d'hostilité, est des plus nuisibles à la personnalité humaine. Ces sentiments toucheront ceux qui vous entourent, en particulier vos enfants. Ils bloqueront également ceux qui veulent vous aider le plus. En outre, ils vont gaspiller une grande partie de votre énergie physique et psychologique, une énergie dont vous avez besoin pour réussir dans la vie.

Oubliez le passé! Concentrez-vous sur le présent et sur votre avenir. Remerciez Dieu de ce que vous connaissez Christ, de vous avoir pardonné vos péchés, d'avoir fait de vous un membre du corps de Christ. Ne laissez pas vos sentiments négatifs prendre le dessus et détruire ce qui, pour vous, peut être un nouveau commencement.

Voici une suggestion pratique pour vaincre l'amertume: Ne pensez plus à vous-même. Pensez aux autres. Pensez au pardon que vous avez en Jésus-Christ. Dans la mesure du possible, évitez toute situation qui fait remonter à la surface les vieux souvenirs.

Ne comptez pas sur l'aide d'autrui. Bien sûr, votre situation est difficile et risque de se dégrader davantage, mais ne vous attendez pas à ce que le monde ou l'Eglise résolve vos problèmes. Chacun d'entre nous est responsable de ses propres problèmes. Il est possible que nous ayons été victimes des circonstances, mais cela ne nous donne pas le droit de rechercher des solutions de facilité.

D'un autre côté, sous prétexte que vous êtes chrétiens, ne vous laissez pas marcher sur les pieds. Imposez-vous! Prenez ce qui vous revient. Je peux vous citer l'exemple de chrétiens divorcés qui ont laissé leur ex-conjoint profiter d'eux, manquer à leur parole et qui n'ont pas perçu la pension des enfants. Si vous êtes dans cette situation et qu'elle persiste, faites appel aux autorités compétentes sans tarder.

Mais que tout ceci se fasse avec une attitude chrétienne. Qu'il n'y ait de votre part aucun sentiment de vengeance; ne prenez pas vous-même la loi en main. Paul nous met en garde contre ceci (Romains 12:17-19). Mais vous avez droit à la protection de la loi! N'abandonnez pas vos droits dans ce domaine.

Organisez votre vie suivant les priorités bibliques. Vous devrez limiter vos objectifs. La plupart des gens le font, mais c'est surtout vrai dans le cas d'un parent célibataire. Agissez toujours selon les priorités bibliques.

Souvenez-vous que Dieu doit avoir la première place dans votre vie! Ne négligez pas votre communion avec Lui. Lisez votre Bible et priez. Ne négligez pas non plus la communion fraternelle qui vous fortifiera.

Vos enfants viennent ensuite. Organisez votre vie afin de faire de votre mieux pour pourvoir à leurs besoins: physique, psychologique et spirituel. Vous ne pourrez évidemment pas réaliser tout ce que vous souhaiteriez faire pour eux, mais l'amour que vous leur témoignez est plus important.

Ne vous remariez pas simplement dans le but de trouver la sécurité. Il est des parents célibataires qui tombent de Charybde en Scylla. Ils rompent avec un conjoint irresponsable pour se retrouver quelque temps après mariés à un autre tout aussi irresponsable. Au milieu de leur solitude, de leur dépression et de leur frustration, ils deviennent vulnérables. Leur décision est basée sur les émotions plutôt que sur la raison. Et les voici replongés dans la même situation qu'auparavant, en route pour une nouvelle catastrophe conjugale. J'ai connu des chrétiens qui ont même fini par épouser des non-croyants, ce qui leur a créé des problèmes sans fin.

Vous remarquerez que les gens qui ont du mal à s'entendre avec les autres sont souvent attirés par les personnes qui elles aussi, ont des problèmes de cet ordre. Ce n'est pas une base solide pour un bon mariage. Il vaut mieux rester célibataire que de renouveler l'expérience d'un mauvais mariage.

Quelques conseils pratiques pour le corps de Christ

Comment tous les membres d'un corps local de croyants peuvent-ils aider le parent célibataire et ses enfants?

Soyez conscients de leur présence et de leurs problèmes. Souvenez-vous que les parents célibataires sont membres du corps de Christ.

Comme tout le monde, ils ont besoin de sentir qu'on les aime, qu'on les accepte et qu'on les encourage.

Evitez de les juger. Sans la grâce de Dieu, chacun d'entre nous pourrait se trouver dans la même situation. Nous aussi, pourrions être parents célibataires: veufs, séparés, divorcés. Aucun d'entre nous n'est à l'abri de la tragédie humaine, de l'échec, de fautes graves. C'est vrai que les gens se mettent parfois dans des situations impossibles, par leur attitude irresponsable, mais c'est seulement grâce à Dieu que nous n'avons pas commis les mêmes erreurs.

Allez vers les enfants de parents célibataires. Les enfants de parents célibataires ont besoin de contact avec un père et une mère. Même un simple contact les aide.

Il y a quelques années, un jeune couple était venu me demander conseil. Ils avaient de graves problèmes conjugaux. Sur le plan humain, on ne pouvait rien faire pour sauvegarder le couple. Le jeune mari et père voulait rompre et aucune pression de ma part ou de la part de qui que ce soit ne put le faire changer d'avis. Il était en rébellion totale contre Dieu.

Il partit, laissant son épouse et une belle petite fille d'un an. La jeune maman continua d'amener régulièrement sa fille à l'Eglise, et je faisais un effort chaque semaine pour m'occuper un peu de cette petite fille, la prendre dans mes bras, lui parler, lui manifester un peu de tendresse. Bien sûr, cela n'était pas grand-chose, mais cela remplaçait un peu le père absent dans l'existence de cette petite fille.

Une seule personne ne peut évidemment servir de père ou de mère à tous les enfants qui n'ont qu'un seul parent, mais si chaque membre du corps de Christ décidait de s'occuper plus particulièrement d'un enfant, on verrait des résultats incroyables dans la vie de ces enfants et de leur parent.

Permettez-moi de vous donner quelques conseils d'ordre pratique. Tout d'abord, veillez à ce que vous ayez à la fois hommes et femmes pour s'occuper de la garderie ou comme moniteurs de l'école du dimanche. Cela permettra aux enfants de parents célibataires d'établir des contacts avec des pères et des mères de remplacement.

Ensuite, que chaque parent célibataire dans votre Eglise désirant que l'on témoigne un intérêt particulier à son enfant le fasse savoir, par exemple à l'aide d'un imprimé que vous lui ferez remplir. Faites de même auprès de chaque chrétien qui exprime le désir de s'occuper d'un enfant. Puis attribuez à chacune de ces personnes au moins un enfant.

Attention! Les parents célibataires ne doivent pas se montrer trop exigeants et les autres chrétiens ne doivent pas non plus établir des buts trop élevés. Les contacts personnels seront peut-être minimes. En règle générale, maints parents ne consacrent pas assez de temps à leurs enfants. Il ne faut pas négliger les nôtres au profit de ceux des autres.

Il y a aussi un autre danger dont il faut être

conscient. C'est une excellente idée que les pères et les mères s'occupent de l'enfant d'un parent célibataire, mais il faut se méfier des sentiments qui peuvent s'éveiller dans ce genre de relations. Une mère peut être sentimentalement très touchée de l'affection témoignée par n'importe quel homme à son enfant. Soyez sur vos gardes! Qu'une bonne chose ne se transforme pas en tragédie!

Projet de famille

En tant que famille réfléchissez à l'idée «d'adopter» une famille avec un seul parent, et priez à ce sujet. Votre rôle sera de prier régulièrement pour ces enfants, de les inviter à intervalles réguliers, et d'organiser avec eux des sorties ou autres divertissements.

11
DE LA FONCTION
A LA FORME

Edith Schaeffer, dans son livre sur le foyer, compare la famille à un élément décoratif mobile. Voici ce qu'elle écrit: «La famille est le mobile le plus varié, le plus changeant qui puisse exister. La famille est un mobile vivant qui diffère de tous les autres mobiles, que ce soit ceux de l'artisan, des musées d'art, de la nature, des lacs, des arbres, des oiseaux, des poissons ou tout autre animal. La famille est un mobile complexe fait de personnalités humaines.»

Bien que les analogies ne puissent expliquer toute la vérité, celle-ci décrit à merveille la famille chrétienne. Un mobile est toujours dynamique, il se déplace et il change. Il n'est jamais complètement statique.

Cela est certainement vrai de la famille. Elle commence avec un mari et une femme, dont les personnalités et l'être tout entier ajoutent un potentiel de créativité infinie et de variété dans la famille. Les enfants sont prévus dans le plan de Dieu pour élargir le cercle familial. Chacun aura ses particularités, ses problèmes, ses aptitudes. De même que les jours, les semaines, les mois se succèdent, chaque membre de la famille se transforme. Les changements enregistrés chez l'un affectent tous les autres. La transformation est continue. Aucune forme, aucun modèle ne suffira en lui-même à résoudre tous nos problèmes.

Oui, c'est vrai, les gens sont nés pour fonctionner. Partout où se trouve une fonction, se trouve une forme. Ce qui généralement différencie une famille chrétienne d'une famille non-chrétienne est les *fonctions* décrites dans la Bible, ainsi que les principes et les objectifs qui font de la famille chrétienne une famille exceptionnelle. Ces fonctions, ces principes et ces objectifs nous aident à concevoir les formes et les structures qui vont nous permettre d'être, au vingtième siècle, une famille de type néo-testamentaire.

Objectifs, fonctions et principes bibliques

Dans ce livre nous avons décrit les fonctions, objectifs et principes bibliques nécessaires à la vie chrétienne de tous les jours. Afin d'avoir une juste vision d'ensemble, revoyons ce qui a été dit, mais dans un but bien spécifique.

Directive fondamentale pour réussir votre mariage. Lorsque nous décrivons une famille d'un point de vue chrétien, il ressort une vérité importante. Pour avoir une véritable famille chrétienne qui fonctionne bien, les deux conjoints doivent être des chrétiens zélés. Cela paraît évident. Cependant, nombreux sont ceux qui semblent oublier ce point essentiel lorsqu'ils considèrent le mariage, ou même lorsqu'ils essayent d'analyser ce qui ne va pas dans leur couple.

La déclaration de Paul dans 2 Corinthiens 6:14 est claire: «Ne formez pas avec les incroyants un attelage disparate». Bien que Paul pensait alors aux relations en général, nous ne pouvons douter qu'il voulait également parler de la relation la plus intime de toutes, le mariage.

Bien sûr, il est des situations au cours d'une vie qui créent des problèmes. Un conjoint peut, par exemple, devenir chrétien après son mariage, et l'autre pas. Le fait aussi d'épouser un chrétien ne garantit pas un mariage réussi, car il faut deux chrétiens spirituels et engagés pour accomplir l'idéal divin pour le mariage. A n'importe quel moment de sa vie, un chrétien peut tout à coup choisir de mener une vie de péché et d'égoïsme. Il va sans dire que ce comportement vient entraver le plan de Dieu.

La Bible reconnaît ces réalités et, comme nous l'avons vu, donne quelques directives aux personnes qui rencontrent ces problèmes. Mais un homme averti en vaut deux. Si vous êtes chrétien, épousez un chrétien. Faites mieux encore: épousez un chrétien mûr! Cela suppose, bien sûr, que vous êtes mûr.

Une terrible réalité. Il y a dans la Bible une réalité que je souhaiterais ne pas y trouver, mais qui est pourtant bien là. Cette réalité ne peut être changée, parce que c'est la loi de Dieu que l'expérience humaine prouve chaque jour: Nous subissons les conséquences naturelles de nos péchés.

Je veux surtout mettre en garde les jeunes qui ont toute leur vie devant eux. Restez purs dans vos relations avec les personnes de sexe opposé. Evitez les situations qui pourraient engendrer des sentiments de frustration, d'anxiété, de ressentiment et de culpabilité. Patientez jusqu'au moment où vous vous marierez, où Dieu sourira à tout ce que vous entreprendrez, et où vous serez libres l'un envers l'autre, selon la volonté du Seigneur. N'allez pas gâcher maintenant une relation que Dieu voulait belle et libre, sans problème psychologique ou psychique.

Il y a quelques années, je participais à un sondage national de 3 000 chrétiens adolescents. Dans une partie du questionnaire, on leur demandait de classer dans l'une des quatre catégories: pas du tout, peu, assez, beaucoup, chacun des 40 sujets qui leur étaient donnés suivant l'importance qu'ils attribuaient à chacun d'entre eux. L'un de ces sujets était: «Réussir son mariage». Plus de 70% ont répondu qu'ils y attachaient beaucoup d'importance.

Malheureusement, beaucoup de jeunes ne se rendent pas compte qu'en transgressant les lois fondamentales de Dieu de pureté morale, ils nuisent à la chose même qu'ils désirent le plus.

Trois objectifs spirituels. Il existe trois objectifs spirituels pour la famille chrétienne, de même que pour l'Eglise. Le premier, c'est qu'une famille chrétienne devrait refléter la foi en Dieu. Croyez ce qu'Il dit, et agissez en conséquence. Ne mettez pas votre confiance dans les choses matérielles. «Cherchez premièrement son royaume et sa justice, et tout cela vous sera donné par-dessus» (Matthieu 6:33).

Le deuxième, c'est qu'il vous faut *espérer*. Que votre famille soit stable dans sa doctrine. Sachez ce que vous croyez, et croyez en ce que vous savez. Devenez une famille qui aime la Bible et la vive.

Le troisième, et le plus important, c'est d'être une communauté dont les membres se témoignent de l'amour, et font preuve de sollicitude les uns pour les autres. C'est cela la marque de la maturité chrétienne, et celle que Dieu utilisera le plus dans votre ministère auprès des autres. Car ce sont ces trois caractéristiques: la foi, l'espérance et l'amour surtout l'amour, qui établiront votre unité et vous permettront en tant que famille d'être un témoignage dynamique dans votre communauté.

Quatre fonctions distinctes. Il y a quatre fonctions essentielles décrites dans la Bible qui font que la famille chrétienne se détache nettement de la famille non-croyante. Nous avons examiné de très près ces fonctions dans les chapitres précédents. Il s'agit de la soumission, de la fonction de chef de famille exercée avec amour, de l'obéissance aux parents et de l'éducation chrétienne des enfants.

Mais notez bien que ce sont des fonctions! La

REPRESENTATION BIBLIQUE DE LA FAMILIE

Objectifs de base et directives

1 Avant de vous marier, assurez-vous que vous êtes mûrs à la fois sur le plan spirituel et psychologique (Romains 12:1-2).

2. Considérez le mariage comme étant indissoluble, car c'est la volonté de Dieu (Mat

3 Ne vous mariez qu'avec un chrétien mûr tant sur le plan spirituel que psychologique (2 Corinthiens 6:14).

4 Evitez d'avoir, avant votre mariage, un comportement qui vous causerait préjudice une fois marié.

Fonctions et principes

1. **Fonction**: soumission de la femme (Ephésiens 5:22-23).
   Principes:
   a. obéissance
   b. un esprit doux et tranquille
   c. engagement, consécration, et amour
   d. le foyer: une priorité

2. **Fonction**: direction empreinte d'amour (Ephésiens 5:25-33; 1 Pierre 3:7).
   Principes:
   a. altruisme
   b. humilité et attitude de serviteur
   c. esprit de sacrifice
   d. compréhension et sensibilité

Formes et modèles de base

Là, la Bible nous donne une entière liberté et ne nous cloisonne pas dans des formes et des structures prédéterminées. Il nous incombe de développer des formes appropriées qui vont nous permettre d'atteindre les objectifs bibliques et de mener à bien les fonctions scripturales.

5. Fixez avec votre famille trois objectifs de base: la foi, l'espérance, et l'amour mutuels (1 Corinthiens 13:13).

6. Souvenez-vous que tous les croyants ont une nature pécheresse qui fera d'une vie suivant l'idéal divin un défi perpétuel. Mais n'oubliez pas que Dieu aussi nous donne le moyen de vaincre les effets de notre vieille nature si nous voulons obéir à Sa Parole (1 Corinthiens 10:13).

3. **Fonction**: obéissance des enfants (Ephésiens 6:1-3)
   Principes:
   a. respect
   b. honneur

4. **Fonction**: éducation des enfants par les parents (Ephésiens 6:4)
   Principes: (Deutéronome 6:6-9; Proverbes 22:6):
   a. image de père appropriée
   b. exemple constant des parents
   c. spontanéité
   d. discipline: amour et patience; compréhension et distinction des différents âges et des penchants naturels

Note: Les formes que revêtent les fonctions et une bonne organisation sont très importantes au sein de la famille. Si elles font défaut, toutes sortes de malentendus, de craintes et de mauvais sentiments peuvent apparaître. L'important c'est de ne pas se laisser emprisonner dans des formes rigides, et d'être prêts à changer, à faire preuve de plus de souplesse en cas de besoin.

Bible ne décrit pas de façon spécifique les formes que ces fonctions devraient prendre, bien qu'elle nous offre des directives et des principes. Le tableau des pages suivantes vous aidera à résumer ce qu'enseignent les Ecritures sur ces fonctions et à leur trouver des formes et des structures appropriées.

Les chrétiens font souvent deux erreurs fondamentales à propos de ces formes et ces structures. Comme la Bible n'en dit que peu de choses, nous essayons de nous en passer, ce qui est impossible. Nous ne pouvons avoir de fonction sans forme, d'organisme sans organisation. Essayer de se passer de formes mène au chaos, à la confusion et au manque d'efficacité, que ce soit à l'Eglise ou à la maison.

Une autre grave erreur est de vouloir revêtir les fonctions bibliques de certaines formes, dans notre foyer comme à l'Eglise. Au niveau de l'Eglise, il nous arrive souvent de mettre sur le même plan un certain comportement culturel et le comportement biblique requis: les salutations, la façon de s'habiller, l'endroit où les gens doivent s'asseoir, l'organisation du culte, le nombre de réunions hebdomadaires, la désignation de ceux qui peuvent parler. Si nous n'y prenons garde, nous risquons de faire de même dans notre famille. Voyons quelques exemples qui nous montrent que parfois nous nous emprisonnons dans des domaines où nous devrions être libres.

La soumission et la qualité de chef de famille. Certains chrétiens pensent que le concept de soumission et celui de direction signifient que la femme ne devrait jamais travailler à l'extérieur. Ou bien, ils croient qu'on ne devrait jamais laisser une femme s'occuper du compte en banque ou des affaires, ni prendre de décisions. Certains couples s'accommodent peut-être fort bien de ces formes, mais on ne les trouve pas dans la Bible. Il est possible d'appliquer les principes de soumission et de direction sans pour autant mettre en pratique le concept du mariage et de la vie de famille que nous venons de décrire.

Il est des maris parfaitement heureux que leur femme travaille à l'extérieur et qui participent à la gestion de la famille. L'homme reste le chef de famille et la femme lui est soumise. Les principes bibliques ne sont nullement violés dans ces conditions si la femme ne néglige ni son mari, ni ses enfants. Ils ne font qu'utiliser une forme différente pour mener à bien les fonctions bibliques.

D'un autre côté, je connais des femmes qui sont très heureuses de ne rien avoir affaire dans les affaires financières de la famille. Elles aiment vivre avec ce que leur donne leur mari, et ne voudraient pour rien au monde travailler à l'extérieur. Leur situation leur convient parfaitement. S'il en est ainsi, c'est une des libertés prescrites par la Bible. L'essentiel, c'est que les formes et les structures que nous adoptons ne violent jamais les principes bibliques.

La sexualité. Elle joue un grand rôle dans le mariage. C'est une obligation. Dans ce domaine,

Dieu nous laisse une très grande liberté. La loi divine absolue prescrit un homme pour une femme. Elle n'impose aucune restriction pour ce qui est du comportement sexuel à observer au sein du mariage, surtout si le couple respecte les principes de sensibilité, de compréhension et d'altruisme. La nature même de notre sexualité donne à l'homme et à la femme un extraordinaire potentiel de créativité. Pourtant, certains chrétiens imposent des restrictions dans ce domaine, souvent en raison de problèmes culturels et de malentendus. Là encore, nous voyons un exemple de la liberté que peuvent prendre les formes.

La famille et l'éducation des enfants. Elever nos enfants selon les principes d'éducation et de discipline du Seigneur nous permet d'être très créatifs. Dieu ne nous enferme pas dans un système de stéréotypes. Au contraire, la nature même d'une famille qui grandit et qui change demande que nous révisions sans cesse nos méthodes d'éducation et de discipline. La discipline qui convient à un enfant peut très bien ne pas convenir à un autre.

Nous devons traiter chacun de nos enfants individuellement, en tenant compte de ses besoins propres. Il y a plusieurs manières différentes de discipliner un enfant. Il ne nous est pas possible de dire à un parent qu'il a tort ou qu'il a raison, à moins qu'il ne viole les principes et les directives de l'Ecriture, tels que l'amour, la sagesse, la compréhension, la sensibilité envers un enfant dont nous devons nous efforcer de saisir la nature unique.

L'obéissance des enfants. Même l'obéissance revêt maintes formes et expressions. Chaque famille conçoit différemment ce que l'obéissance doit être. Nous ne devons pas juger les parents qui ont une méthode différente de la nôtre. Un parent est libre d'exiger ce qu'il veut, à condition de ne pas violer les principes et directives contenus dans le Nouveau Testament.

Il est bien sûr important que nous examinions régulièrement nos motifs à la lumière des directives bibliques. Nos exigences sont-elles justifiées? Sont-elles empreintes d'égoïsme? Manquent-elles de sensibilité? Ne tiennent-elles pas compte des exigences de notre culture? Ou bien au contraire, ignorons-nous les valeurs morales? Participons-nous à la vie de notre enfant, en émettant des jugements pas fondés sur la réalité? Sommes-nous beaucoup trop tolérants? Et, ce qui est aussi important, les autres parents ont-ils des problèmes à cause de notre méthode? S'il en est ainsi, nos enfants en rencontreront aussi car ils auront des difficultés à fonctionner dans leur contexte culturel. Il est important que nous tenions également compte des autres membres du corps de Christ. C'est d'ailleurs aussi un principe biblique.

L'un des problèmes du monde d'aujourd'hui vient du fait que de nombreux chrétiens voyagent beaucoup, conduisent des séminaires, présentent des méthodes pour l'éducation des enfants et la vie de famille. Ces suggestions ne font que semer la confusion dans le cœur des parents, car les formes valables pour un foyer ne sont pas forcément applicables dans un autre. De plus, les gens essayent souvent de copier des formules sans comprendre les *principes* qui les dirigent. C'est la raison pour laquelle nous devons revenir aux objectifs, aux principes et aux fonctions bibliques, et montrer aux parents comment appliquer ces vérités de façon créative dans leur propre culture. Voilà la façon biblique de communiquer.

Comprenez-moi bien. Je ne dis pas qu'il est mauvais d'illustrer l'application de ces principes. Mais bien souvent, les gens ne comprennent pas les principes et entendent seulement ce que nous disons sur la façon de les appliquer. Autrement dit, il arrive fréquemment que les principes soient voilés par nos illustrations, et les gens ne saisissent pas le message essentiel.

Un dernier mot

Oui, la famille ressemble à un mobile. La famille est un groupe de personnes dont les personnalités différentes ne cessent de changer, affectant d'une manière continue tous les autres membres. Et, comme nous le savons, le mobile bouge au moindre souffle.

Voici une bonne leçon que nous pouvons tirer de cette analogie. Certains mouvements sont nécessaires, bons et normaux. En fait, le changement dans la forme est inévitable, mais il y a aussi certains vents qu'il faut contrôler lorsqu'ils soufflent en direction du «mobile» de la famille chrétienne. C'est pourquoi Paul dit que nous devons mûrir en Christ pour ne plus être «des enfants flottants et entraînés à tout vent de doctrine, joués par les hommes avec leur fourberie et leurs manœuvres séductrices» (Ephésiens 4:14). Jacques ajouta aussi ceci: «Si quelqu'un d'entre vous manque de sagesse, qu'il la demande à Dieu qui donne à tous libéralement et sans faire de reproche, et elle lui sera donnée. Mais qu'il la demande avec foi, sans douter; car celui qui doute est semblable au flot de la mer, que le vent agite et soulève» (Jacques 1:5-6).

La liberté dans les formes doit donc toujours être conforme aux principes bibliques. Nous devons maintenir sans défaillance ce qui ne changera jamais, mais rester ouverts, libres, et garder un esprit de créativité dans les domaines qui sont flexibles. Nous ne devons pas changer de forme, uniquement pour le changement, mais ne refusons pas non plus le changement par crainte ou préjugé. La famille chrétienne est le plus grand défi lancé pour maintenir l'équilibre dans un monde où la plupart des familles athées sont semblables à un bateau pris dans la tempête. Le gouvernail ne répond plus et sans le savoir, elles se dirigent vers les récifs. La famille chrétienne ne devrait pas se trouver dans cette situation, quelle que soit la force des vents, ou le danger de la mer.

La famille chrétienne possède un manuel qui indique clairement la route, et elle a un pilote qui connaît le chemin pour l'avoir déjà emprunté. «Puisque nous avons un grand souverain sacrificateur qui a traversé les cieux, Jésus le Fils de Dieu, tenons fermement la confession de notre foi. Car nous n'avons pas un souverain sacrificateur incapable de compatir à nos faiblesses; mais il a été tenté comme nous à tous égards, sans (commettre de) péché. Approchons-nous donc avec assurance du trône de la grâce, afin d'obtenir miséricorde et de trouver grâce, en vue d'un secours opportun» (Hébreux 4:14-16).

Projet de famille ou de groupe

Passez en revue tous les examens de soi à la fin de chaque chapitre et voyez si vos attitudes et votre comportement ont changé depuis que vous les avez lus.

TABLE DES MATIERES

Achevé d'imprimer sur les presses des Editions VIDA, Miami, Floride en mai 1988.